B1+B2 Övningsbok

Paula Levy Scherrer   •   Karl Lindemalm

Natur & Kultur

NATUR & KULTUR

Box 27323, 102 54 Stockholm
Kundservice: Tel 08-453 87 00, kundservice@nok.se
nok.se

Order och distribution: Förlagssystem
Box 30195, 104 25 Stockholm
Tel 08-657 95 00, order@forlagssystem.se
fsbutiken.se

Projektledare: Karin Lindberg
Textredaktör: Inger Strömsten
Grafisk form: Cristina Jäderberg
Omslag: Carina Länk

Förlaget Natur & Kultur är en stiftelse som utan ägare kan agera
självständigt och långsiktigt. Vårt mål är att genom stöd, inspiration,
utbildning och bildning verka för tolerans, humanism och demokrati.

© 2015 Paula Levy Scherrer, Karl Lindemalm och Natur & Kultur, Stockholm
Tryckt i Lettland 2019
Andra upplagans femte tryckning
ISBN 978-91-27-43424-0

Innehåll

1 Adverb

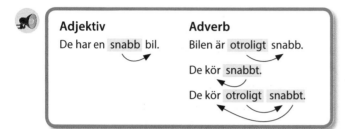

Adjektiv	**Adverb**
De har en snabb bil.	Bilen är otroligt snabb.
	De kör snabbt.
	De kör otroligt snabbt.

Adjektiv beskriver substantiv, saker eller fraser.
Adverb beskriver adjektiv, verb eller adverb.
Adverb är ofta adjektiv + *t*.
Några adverb har annan form: *verkligen, lite, lagom, rätt, fel, ganska.*
Adjektiv som slutar på -*en* bildar adverb på -*et*: *mogen* → *moget.*
Man böjer inte adverb.
Adverb svarar ofta på frågan "Hur?".

A Välj adverb ur rutan och skriv dem där de passar in.
Du kan använda samma adverb flera gånger.

> långsamt   dåligt   vackert   slarvigt   hårt
> snabbt   falskt   djupt   ordentligt

1 Nina sjunger så _____. Jag älskar att lyssna på henne.

2 Gå inte så _____! Vi kommer att missa bussen.

3 Emil läser väldigt _____. Han läste ut *Brott och straff* på tre dagar.

4 Marika sover _____. Hon hör sällan alarmet på morgonen.

5 Jag tyckte om musikalen, men en av sångarna sjöng lite _____. Han var inte så bra.

6 Peter skriver väldigt _____. Man kan inte läsa vad det står.

7 Maja tycker själv att hon dansar _____ , men det tycker inte jag. Hon är jättebra!

8 Igår tränade jag _____ på gymmet. Jag var helt svettig efteråt.

9 Anders städar alltid väldigt _____ . Allt blir perfekt.

B Skriv egna exempel med adverben från A.

2 Adjektiv efter några verb

Bilen är snabb.
Jag blir pigg när jag tar en kall dusch.
Alla på gymmet ser så snygga ut.
Jag känner mig ful.
Vasaloppet verkar svårt.

Efter verben *vara, bli, se … ut, känna sig* och *verka* kommer alltid adjektiv.

A Skriv adjektiven inom parentes i rätt form.

1 Charlotte och hennes kompisar pluggade hårt inför provet. De kände

sig _____ innan, men det var _____ efteråt.
(nervös)   (skön)

NERVOSA

2 Maria fick en ny träningscykel och en cykelhjälm i födelsedagspresent.

Hon blev _____ för båda två. De var så _____ .
(glad)   (fin)

Det är _____ med födelsedag, tänkte hon.
(rolig)

3 Olof och Berit såg mycket _____ ut när de skulle hoppa fallskärm.
(rädd)

Det verkade _____ . Men det var _____ .
(farlig)   (rolig)

4 Vasaloppet var _____ i början, tycker Eva. Men det blev _____
(enkel)   (tung)

efter några kilometer när de skulle åka uppför. När de kom i mål var de

_____ att det var _____ .
(glad)   (färdig)

B Skriv 5–10 meningar med verben *vara, bli, känna sig, se… ut, verka* + adjektiv.
Exempel:

> *Jag är glad för jag ska åka på skidsemester.*

C Titta på de understrukna orden. Är de adjektiv eller adverb? Skriv *adj*
eller *adv* under.

1 Maten var jättegod.

2 Marias söner är väldigt långa.

3 Susannes hund äter enormt snabbt.

4 Deras nya hus ser otroligt vackert ut.

5 Oscar tränar extremt hårt och blir väldigt svettig.

6 Jag kände mig verkligen dum när min lärare sa att jag skriver slarvigt.

D Skriv orden i rätt form.

otrolig slarvig	1 Laura städar _____ _____ .
väldig trött	2 De kände sig _____ _____ efter resan.
snabb hög	3 Olof är duktig på idrott. Han springer _____ och hoppar _____ .
väldig lycklig	4 Anneli och Sture är _____ _____ tillsammans.
svår rolig	5 Boken verkar ___SVÅR___ men _____ ROLIGT
enorm pigg	6 I morse kände jag mig _____ _____ PIGG
ganska dålig	7 Anton tyckte att det gick _____ _____ på provet.
söt snäll	8 Marias hundar är _____ och _____ .

3 Adjektiv + *t*: special

> Att simma är härligt.
> Att han simmar varje dag är härligt.

När adjektivet beskriver en fras
(*att* + infinitiv eller *att* + bisats) har man
adjektiv + *t*.

> Glass är gott.
> (Jämför: Den här glassen är god.)
> Skidåkning är populärt i Sverige.
> (Jämför: Skidåkningen i Riksgränsen är tuff.)

Om man beskriver något generellt
har man också adjektiv + *t*. Om man
beskriver något specifikt böjer man
adjektivet efter substantivet.

Skriv adjektiven inom parentes i rätt form.

1 Att åka skidor är _____, tycker Eva. Hon blir ___Pigg___ och
   (härlig)   (pigg)

   ___Glad___ efter träningen.
   (glad)

2 Linas pappa bor inte i Sverige. Att de inte träffas så ofta är _____,
                                                                     (tråkig)

   tycker hon. Hon tycker att det är ___Roligt___ när han ringer i alla fall.
                                       (rolig)

3 Patrik älskar god mat, speciellt fisk och skaldjur. Lax är ___gott___,
                                                              (god)

   tycker han. Men igår åt han en lax som inte var så _____. Den
                                                         (färsk)

   var inte ___god___
             (god)

4 På fritiden brukar Urban läsa och spela dataspel. Att sporta tycker han inte är

   _____. Att han bara sitter inne, tycker hans mamma är
   (rolig)

   _____. – Gå ut och ta en promenad, säger hon.
   (dålig)

   – Nej, jag blir så _____ då, svarar han.
                        (svettig)

4 Tidsprepositioner

Jag tränar en gång **i** månaden.	Hur ofta? *om: dagen/året/dygnet*, annars *i: veckan/timmen/månaden* etc.
Jag tränar en gång **om** dagen.	
Jag tränar **i** 20–40 minuter./Jag tränar 20–40 minuter.	
Jag springer 5 kilometer **på** 30 minuter.	Hur länge? *i* eller ingen preposition
Jag joggade **för** två veckor **sedan**.	Hur snabbt? *på*
Jag ska delta i triatlon **om** ett halvår.	När (preteritum)? *för … sedan*
	När (presens futurum)? *om*

A Skriv rätt preposition. *i/i*

1 Marianne tränar tre gånger ___(1)___ veckan. Varje gång tränar hon ___(2)___ *i* två timmar ungefär. Hon springer snabbt, fem kilometer ___(3)___ *på/ok* 20 minuter.

2 Oscar springer en gång ___(1)___ dagen. Han ska delta i Stockholm maraton ___(2)___ två veckor. Han tror att han kan springa loppet ___(3)___ *på* fyra timmar.

3 Mats och Anna började dansa tango ___(1)___ ett år ___(2)___. ___(3)___ en månad ska de resa till Argentina. Där ska de stanna ___(4)___ *i* tre veckor.

4 Örjan har tränat karate ___(1)___ *i* fem år. Han tränar fyra gånger ___(2)___ veckan.

5 Lukas har sysslat med balkongodling ___(1)___ *i* flera år. Nu har han planterat tomater bland annat. Han kan plocka dem ___(2)___ ett par veckor.

6 Eva rider två gånger ___(1)___ veckan på en ridskola. Några gånger ___(2)___ månaden rider hon en väns häst. Minst två gånger ___(3)___ året åker hon på ridresa till något exotiskt ställe.

B Skriv 5 egna meningar med tidsprepositionerna *i, om, på, för … sedan*.

5 Ordbildning

Det finns annat än träning i livet.
Hon tränar ganska lagom.

Man kan bilda substantiv av många verb med hjälp av suffixet -(n)ing. Verben är ofta, men inte alltid, grupp 1.

A Skriv substantiv eller verb.

Substantiv	Verb
packning	ATT PACKA
TÄVLING	tävla (grupp 1)
cykling	CYCKLA
JOGGNING	jogga (grupp 1)
orientering	ORIENTERA
RIDNING	rida (grupp 4a -it)
simning	ATT SIMMA
UNDERSÖKNING	undersöka (grupp 2b)
samling	ATT SAMLA – TO GATHER
INREDNING	inreda (grupp 2a) TO DECORATE

B Välj rätt verb eller substantiv från orden här ovanför och skriv dem i rätt form där de passar in.

1 Kajsa har alltid varit intresserad av frimärken. Hon har _____

   frimärken från hela världen i fem år och nu har hon en stor _____.

2 Idag ska Elin och Johan resa till Alperna. De _____ sina väskor igår.

   Det är mycket man måste ta med sig när man ska åka på skidsemester så
   PACKNINGEN
   _____ är ganska stor.

3 Ahmed går till simhallen varje morgon och tränar simning. Nästa vecka ska
   TÄVLA
   han _____ i skolmästerskapen. Han tror att han har chans att vinna,

   men han blir alltid lite nervös före en _____. TÄVLING

4   Alex och Anna ska köpa en lägenhet tillsammans. De är mycket intresserade

av _INREDNING_. De vill _INREDA_ lägenheten i thailändsk stil.

5   En grupp forskare har _UNDERSÖKT_ svenska barns fritidsvanor. De ska

publicera sin _UNDERSÖKNING_ snart.

| den industriella revolutionen | Man kan bilda adjektiv av en del substantiv med hjälp av suffixet -ell. |

C   Skriv adjektiven.

Substantiv	Adjektiv
en industri	INDUSTRIELL
en nation	NATIONELL
en sensation	SENSATIONELL
en kultur	KULTURELL

D   Välj bland orden här ovanför och skriv dem i rätt form där de passar in.

1   I skolan har man flera _____ prov. Alla elever i Sverige

gör samma prov så att man kan jämföra resultaten.

2   Mark och Anne är mycket _____. De läser en massa böcker

och går ofta på utställningar, teater och opera.

3   Forskarna fick fram ett _____ resultat. Nu kan man ta fram en

helt ny medicin.

4   Om man studerar _____ ekonomi får man kunskaper i både

teknik och ekonomi.

6 Ord: sport och fritid

– Vad gör ni på fritiden?
– Jag åker slalom.
– Jag spelar fotboll.
– Jag går på / håller på med / tränar yoga.
– Jag håller på med / sysslar med balkongodling.
– Vad gör era barn på fritiden?
– De leker tjuv och polis.

Man använder olika verb för olika sporter och aktiviteter.
Åker använder man när man "åker på något" t.ex. skidor.
Spelar använder man med bollsporter (också för spel t.ex. poker och instrument).
Annars använder man *tränar, håller på med, går på*.
Man kan *syssla* med olika fritids-aktiviteter.
Barn *leker*.

A Skriv imperativ, infinitiv, presens, preteritum och supinum av verben *spela, träna, åk, lek, håll, gå, syssla*.

Imperativ	Infinitiv	Presens	Preteritum	Supinum
spela!	spela	spelar	spelade	spelat

B Välj verb ur din uppställning och skriv dem i rätt form där de passar in. Ibland kan flera alternativ vara rätt.

1 – Jag har många intressen. Jag _____ fotboll och _____ *går på / håller på med / tränar*
 1   2

karate. På vintern _____ jag skridskor. Jag _____ piano
 3   4

också. Och jag tycker om att _____ med mina barn.
 5

2 – Om du vill gå ner i vikt bör du _____ på spinning. Att _____ *gå*
 1   2

på gympa är också bra. Men du bör inte _____ styrketräning. *gå på / håller på / träna*
 3

3 – Min dotter _____ skateboard och _____ volleyball. *åker* / *går på, etc*
 1   2

Min son är inte så sportig. Han _____ med sin frimärkssamling och
 3

ibland _____ han piano.
 4

7 Substantivets former

A Skriv alla former av substantiven.
Se Minigrammatik i textboken, s. 279, för pluralbildning.

Singular		Plural	
Obestämd form	Bestämd form	Obestämd form	Bestämd form
en människa			
en lista			
en klubba			
en tävling			
en undersökning			
en utställning			
en minut			
en aktivitet			
en möjlighet			
ett knä			
ett intresse			
ett arbete			
ett kylskåp			
ett bibliotek			
en arbetare			

B Ringa in rätt alternativ. Se Minigrammatik i textboken s. 279–281, för regler
för användning av obestämd och bestämd form.

1   – Vad ska du göra efter *jobb/jobbet?*

   – Jag ska gå till *bibliotek/biblioteket* och låna några *böcker/böckerna.*

2   – Jag är intresserad av vara med i er *schacktävling/schacktävlingen*
   nu på lördag.

   – Okej. Då kan du skriva upp dig på den här *lista/listan.*

3   – Carina sitter vid *dator/datorn* flera *timmar/timmarna* varje *dag/dagen.*

   – Jaha. Hon kanske ska börja med *e-sport/e-sporten?*

4   – Vill du titta på min *frimärkssamling/frimärkssamlingen*?

    – Ja, kanske nästa *vecka/veckan*.

5   – Såg du *match/matchen* igår?

    – Ja, jag tycker att *spelare/spelarna* såg lite trötta ut.

6   – Jag är så enormt trött på *morgnar/morgnarna*.

    – Jag också. Men det hjälper att dricka starkt *kaffe/kaffet*.

8 Ordbildning: egenskaper

A   Skriv substantivet till varje adjektiv. Alla substantiv finns i textboken, kapitel 1.

1   tålmodig   _____

2   stark   _____

3   envis   _____

4   fantasifull   _____

5   snabb   *snabbhet* _____

6   taktisk   _____

7   uthållig   _____

8   intelligent   _____

B   Skriv egna meningar med de 16 orden från A.

C   Kombinera. Dra streck.

1 Den som ska springa 100 meter måste vara	a uthållig.
2 En konstnär behöver mycket	b bäst taktik.
3 En maratonlöpare måste vara	c fantasi.
4 En person som kan vänta är	d mycket fantasifulla.
5 En viktig egenskap när man ska springa maraton är	e mycket tålamod.
6 För att fiska behöver man	f snabb i benen.
7 Orientering är en	g taktisk sport.
8 Små barn är ofta	h tålmodig.
9 Vinnaren har ofta	i uthållighet.

9 Partikelverb

Jag tar på mig löparskorna och springer en mil.
Jag vill inte gå upp i vikt.

Partikelverb är verb med en partikel. Partikeln är alltid betonad.
Verb + partikel betyder en sak tillsammans. Partikeln ger ofta verbet en ny betydelse och man måste lära sig betydelsen av varje partikelverb.
Partikelverbet kan vara reflexivt: *ta på sig*, eller ha en preposition: *hålla på med*.

A Välj partikelverb ur rutan och skriv dem i rätt form där de passar in.

> ta fram   ta på sig   gå upp   bygga upp   skynda på   åka iväg   gå ner

1 – Vill du ha en läsk?

   – Nej, tack. Jag försöker _____ i vikt.

2 – Är det kallt ute?

   – Ja, _____ en mössa!

3 – Var är Pontus?

   – Han _____ på en resa till Grekland i lördags.

4 – Jag ska börja gå på gym nu.

   – Varför då?

   – Jag måste _____ musklerna i ryggen, så jag slipper ha ont.

5 – Sara! Kan du _____ lite? Bussen går snart.

   – Ja, ja. Jag kommer.

6 – Vi ska äta nu. Har du _____ mjölken?

   – Ja, den står på bordet.

7 – I julas åt jag så mycket julmat. Jag _____ fyra kilo!

   – Oj då.

2

1 Ord: motsatser

A   Skriv motsatsen till adjektiven och substantiven. Exempel:

fattig   *rik*_____

1	oärlig	_____	6	ful _____
2	tråkig	_____	7	ointelligent _____
3	snål	_____	8	inåtvänd _____
4	opålitlig	_____	9	djurhatare _____
5	tystlåten	_____	10	köttätare _____

B   Förklara de 20 orden i övning A med egna meningar. Exempel:

En person som är fattig har inga pengar.

2 Pronomen: personliga och reflexiva

Subjekt	Objekt	Reflexiva
jag	mig*	mig*
du	dig*	dig*
han	honom	sig
hon	henne	sig
man	en	sig
den	den	sig
det	det	sig
vi	oss	oss
ni	er	er
de**	dem**	sig

* I informella texter skriver man ibland *mej* och *dej*.
** I informella texter skriver man ibland *dom* för både *de* och *dem*.

Skriv rätt pronomen.

1 – Märta, jag älskar _DIG_ . Vill du gifta _____ med _____?

   – Ja, gärna.

2 – Vi måste bestämma _____ nu. Ska vi köpa huset eller inte?

   – Jag tycker inte att vi ska flytta från vårt gamla hus. _____ är så fint!

3 – Jag pratade med Lars igår. Hans hund är sjuk.

   – Oj då. Jag måste ringa _____ och fråga om jag kan göra något.

4 – Vem skriver du till?

   – Till Lasse och Karin. Jag frågar _____ om _____ vill komma hit

   nästa helg.

5 – Hej, vi skulle vilja börja dansa. Har ni någon kurs i lindy hop?

   – Javisst. Ni kan anmäla _____ här eller på nätet.

6 – Har du träffat Nina?

   – Ja, jag träffade _____ förra veckan. Hon berättade att hon ska skilja

   _____ från Peter.

7 – Tycker du att man känner _____ löjlig när andra skrattar åt _____?

   – Nja, _DET_ beror på.

3 Reflexiva verb

> För ett år sedan skilde han sig.
> Han rakar sig inte och kammar sig aldrig.

Subjekt och objekt är
samma person.

Kopiering av detta engångsmaterial är förbjuden enligt lag och gällande avtal.

Välj verb ur rutan och skriv dem i rätt form där de passar in.

skilja sig	lata sig	raka sig	bry sig
gifta sig	försova sig	ångra sig	klippa sig
känna sig	förbereda sig	kamma sig	bestämma sig
sätta sig	akta sig	koncentrera sig	anmäla sig

1 Gull-Britt har _____ för att börja studera japanska, så hon har

_____ till en kurs i japanska. Hon _____ glad.

2 Johan har frågat Maggan om hon vill _____ med honom. Hon

svarade ja först, men nu är hon inte så säker längre. Maggans mamma har sagt

att hon ska _____ för honom. Hon säger att Johan är en riktig

casanova, precis som Maggans pappa. De _____ när Maggan var

tre år för Maggans mamma tröttnade på hans affärer.

3 Oscar ligger i soffan och _____. Han borde jobba med sitt projekt,

men grannarna spelar så hög musik att han inte kan _____. Nästa

vecka ska han presentera projektet, så han måste faktiskt börja

_____ nu. Han _____ vid datorn och öppnar

dokumentet. Pust!

4 Cecilia är trött på sitt långa hår. Hon går till frisören och _____.

Håret blir jättekort och Cecilia är missnöjd. Hon _____ och vill

ha tillbaka sitt långa hår, men det går ju inte.

5 Martin är hopplös på morgnarna. Han hör inte mobilen, så han

_____ igen. Det är tredje gången den här veckan. Inte bra.

Martin _____ mycket om hur han ser ut i håret. Så han

_____ men han _____ inte idag. Killarna på jobbet

tycker kanske att han är snygg när han är orakad.

4 Ordföljd: huvudsats

> Jag har lånat ut pengar en massa gånger men jag får aldrig tillbaka dem.

En **huvudsats** kan "stå själv".
Man kan binda ihop ord och satser av samma typ med konjunktioner (*och, men, eller, för, så ...*).
I huvudsats kommer satsadverbet efter subjekt + verb eller verb + subjekt.

Ordföljd i huvudsats

Funda-ment	Verb 1	Subjekt	Sats-adverb	Verb 2–4	Verb-partikel	Komple-ment	Adverb (Hur? Var? När?)
Jag	har	– – –		lånat	ut	pengar	en massa gånger.
Jag	får	– – –	aldrig		tillbaka	dem.	
Om det inte hjälper	ska	du	kanske	prata			med polisen.
Efter det	har	hon		skickat		sms	till mig.
Ibland	ringer	hon					på nätterna.

A Sortera meningarna. Börja med orden i fet stil.

1 för/honom/**Akta**/dig + för + inte/ärlig/**han**/dig/mot/är

2 sig/har/**Min**/skilt/kollega + och + känner/mycket/sig/**nu**/han/ledsen

3 mot/sina/**Man**/ärlig/vara/ska/vänner + och + brukar/säga/alltid/**därför**/jag/ sanningen

4 viktigare/än/kärlek/**Vänskap**/är + och + måste/henne/sluta/**därför**/du/träffa

5 jag/ut/**För ett år sedan**/en/lånade/till/10 000 kronor/kompis + men + inte/har/ tillbaka/**jag**/pengarna/fått

B Skriv 5–6 egna meningar med satser med *och, men, eller, för, så* mellan satserna.

write + skicka 12 Malin

5 Ordföljd: bisats

> Jag tycker att man alltid ska vara ärlig mot sina vänner.
> Om det inte hjälper ska du kanske prata med polisen.

En **bisats** kan inte "stå själv". Den är en del av hela meningen.
En bisats börjar med: en subjunktion (*att, om, därför att* ...), ett relativt pronomen eller adverb (*som, där* ...) eller ett frågeord (*hur, varför* ...).
I bisats kommer satsadverbet *före* första verbet.

Ordföljd i bisats

Bisats-inledare	Sub-jekt	Satsadverb	Verb 1	Verb 2–4	Verb-partikel	Komple-ment	Adverb (Hur? Var? När?)
... att	man	alltid	ska	vara		ärlig.	
Om	det	inte	hjäl-per ...				
När	vi		gick		ut		förra veckan ...

A Läs texten och stryk under alla bisatser.

Nu ska jag berätta om en person som jag tycker mycket om. Hon heter Gullan och hon är min bästa vän. Gullan är mycket hjälpsam. Om jag behöver hjälp med något kan jag alltid ringa henne. Eftersom jag ofta gör dumma saker måste jag tyvärr ringa henne flera gånger i veckan. Varje gång frågar jag om hon har tid att prata en stund. Hon säger alltid att jag kan ringa henne när jag vill, även om det är mitt i natten! Hon är fantastisk! Hon är en mycket klok person också. När jag har problem frågar jag henne om råd. Förra veckan skulle jag gå på en jobbintervju och jag visste inte hur jag skulle klä mig. Då gick vi två ut på stan tillsammans och handlade kläder. Tyvärr fick jag inte jobbet, men det var inte Gullans fel.

B Skriv klart meningarna med bisatser. Använd din fantasi. Exempel:

> *Det är viktigt att en vän alltid talar sanning.*

1 Man kan ringa en vän om ...

2 Det är kul när ...

3 Man måste tänka innan ...

4 Vet du varför ...?

5 Säg till din partner att ...

6 Peter är lite trött eftersom ...

C Komplettera fraserna genom att göra bisatser med orden på tonplattorna.
Tänk speciellt på placeringen av satsadverben. Exempel:

kan han komma inte

Han sa att *han inte kan komma* .

aldrig skilja ska de sig

1 Mia och Klara hoppas att _____

_____ .

måste man säga alltid sanningen

2 Petronella tycker att _____

_____ .

verkligen är Bertil intresserad av fiske

3 Knut undrar om _____

_____ .

faktiskt hon ostron gillar

4 Lovisa berättade för mig att _____

_____ .

kommer hem han till gärna oss

5 Ahmed sa att _____

_____ .

verkligen honom älskar jag

6 Min pojkvän undrar om _____

_____ .

6 Ordkunskap

Orden kommer från texterna om Thiel, Jansson och Söderberg på s. 28–31
i textboken. Välj ord ur rutan och skriv dem i rätt form där de passar in.

Verb		Substantiv	Adjektiv och adverb
umgås	stötta	en samling	utomlands
samla	tröttna	ett förhållande	skamlig
förlora	upptäcka	en gryning	gemensam
njuta	lära känna	en skymning	

1 Omar och Christian _____ varandra för fem år sedan.

   Från början _____ umgicks de inte så ofta men nu träffas de flera

   gånger i veckan.

2 Aisha har _____ på Sverige. Hon tycker att det är för litet

   och vill flytta _____ till Frankrike eller Storbritannien.

3 Förr i tiden var det en stor skandal och mycket _____ både

   att få barn utan att vara gift och att skilja sig.

4 Eugène Jansson målade ofta tidigt på morgonen, i _____,

   eller på kvällen, i _____.

5 Thiel _____ på svenska konstnärer. Han byggde upp en

   stor konst- _____. Men sedan _____ han

   sina pengar och fick sälja allt.

6 Mia har en stor balkong där hon sitter och _____ av den

   vackra utsikten över sjön.

7 Lars och Ulf har många _____ intressen. Båda gillar att

   fiska och gå i naturen.

8 När jag kom till jobbet _____ jag att jag hade glömt mitt

   passerkort. Jag fick låna ett i receptionen.

9 I ett _____är det viktigt att man _____ och hjälper varandra.

7 Verb

A Skriv presens, preteritum och supinum av verben i rutan. Exempel:

är – var – varit

bli	finnas	göra	måste	skriva	ta
dricka	få	ha	se	säga	~~vara~~
dö	försova sig	komma	ska	sälja	vinna
falla	ge	lägga sig	skilja sig	sätta sig	

 B Skriv egna exempel med verben från övning A eller skriv en liten historia där verben ingår.

8 Prepositioner

Skriv rätt preposition.

1 Min kompis och jag har känt varandra _____ sexton år.

2 _____ tre månader _____ skilde hon sig.

3 Min flickvän är hopplös _____ pengar.

4 Jag har blivit kär _____ en kollega!

5 Jag är säker _____ att festen blir rolig.

6 Ibland ringer hon _____ *På* nätterna.

7 Jag vet att han vill gifta sig _____ henne.

8 Jag tänker _____ *På* honom hela tiden.

9 Jag kan inte somna _____ kvällarna och försover mig ofta _____ *På* morgnarna.

10 Om ni älskar varandra måste ni berätta det _____ din vän.

11 Jag har bestämt mig _____ att ge dig pengarna.

12 Jag tycker att man alltid ska vara ärlig _____ *Mot* sina vänner.

(handwritten top:) klart = finished

9 Partikelverb

A Välj ord ur rutan och skriv dem i rätt form där de passar in.

betala tillbaka	få tillbaka	hälsa på	skriva upp
bry sig om	gå igenom	hänga med	säga åt
bygga klart	gå med	låna ut	ta reda _(handwritten:)_ FIND OUT
flytta ut	gå ut	resa runt	vara med _(handwritten:)_ ACCEPTED TO BE PART OF

(handwritten left margin:) FINISH bldg

1 Beatrice _____ pengar till en kompis förra veckan. Hennes

   kompis sa att hon skulle _____ dagen efter men Beatrice har

   inte ___PÅTT___ _____ några pengar än.

2 Curt gillar att _____ _(handwritten:)_ gå ut _____ med vänner. De gillar billiga pubar där

   ingen _____ hur man ser ut eller vilka kläder man har.

3 David ___GICK___ _____ en kris förra året. Det var efter skilsmässan.

   Han ___reste___ _____ i världen i ett år för att hitta sig själv.

4 Eray var singel i flera år. Han _____ i en dejtingklubb

   i höstas. Han har _____ i den i fem månader nu och har

   träffat ganska många intressanta människor, men ingen partner än.

5 Frida och Hans ska _____ några nya vänner idag. De har inte

   varit hemma hos dem förut så de har ___SKRIVIT upp___ _____ adressen på en lapp.

6 Henrik har _____ sin son att inte klippa naglarna i soffan.

7 Utanför stan håller de på och bygger ett nytt radhusområde. Ivan har köpt

   ett hus där men de har inte _____ det än. Det blir färdigt om

   några månader så han kan inte _____ från sin lägenhet än.

8 Janina vet inte när kursen börjar. Hon ska ringa skolan och _____

   på det.

9 Karl berättade att han inte _____ _(handwritten:)_ HÄNGDE MED _____ imorse på föreläsningen

   för föreläsaren pratade för snabbt.

Några partiklar betyder nästan alltid samma sak i partikelverb (*tillbaka, klart/färdigt, runt*) och man kan kombinera dem med många olika verb t.ex. *springa/lämna/komma tillbaka.*

B Välj bland verben i rutan och skriv dem i rätt form där de passar in. Det finns ett verb för mycket.

måla klart	träna klart	äta klart
sjunga klart	skriva klart	prata klart

1 Alberts dotter får gå från bordet när hon har _____.

2 Britt har _____ ett mejl. Nu ska hon läsa en rapport också.

3 Conny och Cecilia har inte _____. De bokar ett nytt möte

   imorgon också för att diskutera mer.

4 När Dennis hade _____ började alla applådera.

5 Eva måste _____ tavlan till utställningen.

C Välj bland verben i rutan och skriv dem i rätt form där de passar in. Det finns ett verb för mycket.

springa runt	hoppa runt	gå runt
titta runt	resa runt	simma runt

1 Aishas dotter _____ hela huset på ett ben igår.

   Hon var jättestolt.

2 Berit åkte till Beijing i somras. Hon _____ till fots de första

   dagarna och tittade på gatulivet. Sedan åkte hon till kinesiska muren.

   Berit _____ i landet till Shanghai och andra städer efter det.

3 Cecilia gillar att gå i affärerna i stan utan att köpa något. Om en expedit

   frågar om hon vill ha hjälp säger hon: – Jag bara _____.

4 Deniz _____ skolan 5 gånger på rasten. Det tog 5 minuter.

3

1 Konjunktioner

Ett jobb måste antingen vara kreativt eller ge hög lön.
Både pengar och fritid är jätteviktigt i livet.
Man behöver varken pengar eller status.
Man behöver inte spara pengar utan det är bättre att göra av med allt direkt.
Man ska aldrig låna ut pengar till andra för man riskerar att inte få tillbaka dem.
Vi fick fyra miljoner för villan så vi behövde inte låna så mycket.

antingen eller = x eller y
både och = x och y
varken eller = inte x inte y
(inte) ... utan = inte x men y
för = orsak
så = konsekvens

A Skriv rätt konjunktion.

1 – Jag och min man har inte mycket pengar _____ vi är arbetslösa. Men vi
      1
har båda sökt många jobb _____ SÅ ____ jag hoppas att vi får jobb snart.
                           2

2 – Vi har helt okej ekonomi i min familj. _____ min sambo _____ jag
                                             1   2
tjänar ganska mycket. Vi funderar på att åka långt bort på semestern, men vi
vet inte vart. _____ åker vi till Chile _____ till Antarktis. Vi får se.
                3   4

3 – Mina barn får inte veckopeng, ___ UTAN ___ vi gör roliga saker tillsammans
                                        1
istället. Vi brukar t.ex. gå på bio. Efter bion går vi på snabbmatsrestaurang.
Då får de välja _____ hamburgare _____ kebab.
                 2   3

4 – Jag är pensionär med låg pension _____ jag måste spara hela tiden. Jag
                                        1
har _____ råd att gå på restaurang _____ att resa, tyvärr. Men jag är
      2   3
inte ledsen, ___ UTAN ___ försöker vara glad för de små sakerna i livet.
                  4

B Komplettera fraserna. Använd fantasin. Exempel:

> _Mina pengar är slut så jag kan inte gå ut ikväll._

1 Mina pengar är slut så ...

2 Jag ska be chefen om högre lön för ...

3 Jag kan inte bestämma mig. Antingen ...

4 Jag skulle vilja åka på semester men jag har varken ...

5 Jag brukar inte laga mat hemma utan ...

6 Jag kan inte välja. Jag vill både ...

2 Konjunktion: *ju ... desto*

 | Ju mer man dricker desto törstigare blir man.

> Konjunktion: *ju ... desto*
> *Ju* + adjektiv i komparativ +
> subjekt + verb (bisats)
> *desto* + adjektiv i komparativ +
> verb + subjekt (huvudsats).

A Kombinera meningarna och dra streck.

1 Ju mer jag repeterar   a desto gladare blir jag.

2 Ju mindre godis jag äter   b desto klokare blir jag.

3 Ju oftare jag träffar mina vänner   c desto smalare blir jag.

4 Ju äldre jag blir   d desto mer kommer jag ihåg.

 B Komplettera meningarna.

1 Ju rikare man är ...   4 Ju svårare texter man läser ...

2 Ju mer vi arbetar ...   5 Ju fler grejer vi har ...

3 Ju fler syskon man har ...   6 Ju äldre man blir ...

3 Adjektiv + substantiv

1 Obestämt adjektiv + obestämt substantiv	
en/någon/ingen/vilken/en annan	rolig dag
ett/något/inget/vilket/ett annat	roligt arbete
tre/många/några/inga/vilka/andra	roliga dagar/arbeten
2 Bestämt adjektiv + bestämt substantiv	
den (här/där)	roliga dagen
det (här/där)	roliga arbetet
de (här/där)	roliga dagarna/arbetena
3 Bestämt adjektiv + obestämt substantiv	
min/denna/mormors/samma/nästa/följande	roliga dag
mitt/detta/mormors/samma/nästa/följande	roliga arbete
mina/dessa/mormors/samma/nästa/följande	roliga dagar/arbeten

Special:
en liten sak, ett litet hus, två små saker/hus
den lilla saken, det lilla huset, de små sakerna/husen
min lilla sak, mitt lilla hus, mina små saker/hus

Oböjliga adjektiv:
lagom, extra, bra, gratis, kul

A Läs texten här nedanför och stryk under alla fraser med adjektiv + substantiv.

Elins snälla farmor, Margit, var mycket rik. Hon bodde i ett stort hus. Det lyxiga huset låg i en vacker trädgård. Margits fantastiska trädgård var full av många stora rosbuskar och vackra fontäner.

En dag besökte Elin sin gamla farmor. De gick runt i trädgården och Elin pekade på några röda rosor och frågade:

– Vad heter de där underbara rosorna?

– De heter Ingrid Bergman efter den stora svenska skådespelerskan.

– Har du några vita rosor också? frågade Elin.

– De vita rosorna finns i en stor rabatt på baksidan av huset, svarade Margit.

De gick runt i flera timmar och tittade på alla de fina blommorna. Efteråt drack de några färgglada paraplydrinkar på den stora terrassen.

B Till vilken grupp i tabellen här ovanför hör fraserna i texten?

C Kombinera orden ur varje grupp och gör fraser. Exempel:

en hemsk hund
någon …
den där …
denna …
dina …
Antons …

- *någon hemsk hund*
- *den där hemska hunden*
- *denna hemska hund*
- *dina hemska hundar*
- *Antons hemska hund*

1 en fantastisk film
den …
Olofs …
Vilken …!
andra …
en annan …

2 ett snyggt hus
detta …
inget …
det där …
vårt …
Vilka …!

3 en liten bil
två …
den …
dessa …
Farfars …
de här …

D Skriv orden inom parentes i rätt form.

1 Det finns många _____ och _____
  (laglig) 1   (olaglig metod) 2

  att blir rik på. Men de _____ *NA* ska man inte syssla med.
  (olaglig metod) 3

  Den _____ är nog att arbeta hårt och spara. Det är
  (bäst metod) 4

  WHy → både ett _____ *LAGLIGT* och ___ *MORALISKT* ___ sätt.
  (laglig) 5   (moralisk) 6

2 En studie visar att många _____ inte blir sjuka
  (rik människa) 1

  så ofta som _____. Varför?
  (fattig person) 2

  Den _____ är att en rik person äter bättre och går
  (tråkig sanning) 3

  oftare till läkaren för att kontrollera sin hälsa.

3 Ett _____ är inte heller bra för hälsan. Ett annat
  (tung tråkig jobb) 1

  _____ är dåliga arbetstider.
  (stor problem) 2

4 En del personer har många _____, men jag har
   (liten problem) 1

bara ett _____ *et* _____. Min _____
         (liten problem) 2   (liten bil) 3

fungerar inte så bra. Min sambo har en _____, men
                                        (stor bil) 4

jag tycker bättre om att köra den _____.
                                   (liten bil) 5

Den _____ är om jag ska köpa en ny.
    (svår fråga) 6

4 Ord: *för mycket, lite* eller *lagom*?

Välj ord ur rutan och skriv dem där de passar in.

drygt	lagom	för mycket	precis
pyttelite	tillräckligt	knappt	ungefär

Jag tjänar _____ *KNAPPT* _____ 23 000 i månaden, 22 800. Efter skatt blir det
                                1

_____ 18 027 kronor. Det är inte _____ för mig.
           2   3

Jag skulle behöva några tusen till. En kompis har _____ 60 000
                                                              4

i månadslön, 62 000 tror jag. Det tycker jag nästan är _____.
                                                                    5

Ingen behöver så mycket pengar. Jag tycker 30 000 är en _____
                                                                    6

lön. Då har man råd med det man behöver. En kompis till mig tjänar bara 14 000.

Efter skatt blir det _____ *ungefär* _____ 11 000. Det är _____.
                                7   8

Det räcker nästan inte till någonting.

5 Ordbildning

Sammansatta ord

> bankkonto (bank + konto)
> fritidsintresse (fri + tid + intresse)
> lyckonivå (lycka + nivå)

Sammansatta ord är ord som består av två eller flera ord. Ibland binder man ihop orden med ett *s*.
Efter suffixen *-(n)ing, -het, -skap, -ion, -dom, -lek, -itet* har man oftast ett *-s*: *tidningsläsare, frihetskänsla.*

När det första ordet börjat på prefixen *o-, be-, an-, av-, bi-, för-* har man oftast *-s*: *otursdag, besökstid.*

Ibland binder man ihop ord med *s* utan att det finns några regler: *livsstil.*
Ordet "arbete" blir *arbets-* i sammansättningar (t.ex: *arbetsdag*).

Ibland faller vokalen *a* i sammansättningar: *soffa + bord = soffbord.*
Ibland faller vokalen *a* i sammansättningar och blir *o* eller *u* istället:
vecka + peng = veckopeng, *vara + hus* = varuhus.

A Gör sammansatta ord av orden i rutorna nedan. Exempel:

Sjukskriven, sjuksköterska ...

sjuk	arbete	förmedlingen	skriven	kassan
försäkring	dam	givare	sköterska	lön
sol	företag	miljö	vakt	uppgång
fritid		tid	intresse	
barn		tidning	ledare	

B Välj 10 av de sammansatta orden från A och skriv egna meningar med dem. Exempel:

Jag tycker om att sitta på balkongen och titta på soluppgången.

Prefix: "inte"

Tänk på möjliga och omöjliga sätt att bli rik.	Prefix som betyder "inte": o-, in-, ir-, il-, im-

C Skriv motsatser.

1 bekväm _____	7 lojal _____
2 populär _____	8 beroende _____
3 lycklig _____	9 moralisk _____
4 trygg _____	10 relevant _____
5 tolerant _____	11 ärlig _____
6 tur _____	12 möjlig _____

D Välj ord från C och skriv dem i rätt form där de passar in.

1 – Vad drömmer du om i livet?

– Att vara _____ av pengar!

2 – Morfar börjar bli väldigt gammal och han ser dåligt. Nu känner han sig

_____ när han går ut ensam på stan.

3 – Jag tappade min mobil i toaletten!

– Åh nej! Vilken _____!

4 – De här stora, dyra bilarna har blivit _____. Det är ingen som

köper dem längre.

5 – Vår gamla soffa är verkligen _____ att sitta i. Den är så hård.

6 – Jag tycker att dina argument är helt _____. De har inte med

saken att göra.

– Nähä, och varför ska du alltid ha rätt?

7 – Tro inte på vad Sigge säger. Jag har hört att han är väldigt _____.

8 – Den här texten är _____ att förstå. Den är jättesvår!

9 – Ulla känner sig _____, trots att hon vann två miljoner på lotto.

– Vad konstigt!

10 – Det finns faktiskt en del sätt att bli rik.

– Ja, men många av dem är _____.

11 – Jag tycker att ni ska välja Klockskolan till er son. På den skolan lär de barnen

att alla människor är olika. De accepterar inte att någon är _____.

– Är det inte så på alla skolor?

6 Verb: alla former

A Skriv formerna som saknas.

Imperativ	Infinitiv	Presens	Preteritum	Supinum
betala!	betala	betalar	betalade	betalat
		lånar		
			köpte	KÖPT
A		KLARAR		klarat sig
		har		
		A	tjänade	
förhandla!				
Höj		höjer	HÖJDE	HÖJT
RÄCK	RÄCKA	RÄCKER	räckte	RÄCKT
hyr!	A	HYR	HYRDE	HYRT
			gav	GETT / GIVIT
		R		sparat

B Välj verb ur uppställningen på s. 34 och skriv dem i rätt form
där de passar in. Ibland kan flera alternativ vara rätt.

1 Låna pengar

Vi lever i ett konsumtionssamhälle. Vi vill hela tiden _____ fler och

1

fler saker. Men vad gör man om man inte _____ tillräckligt mycket

2

pengar på sitt arbete för att konsumera? Vad gör man om man inte _____

3

råd att köpa en ny bil eller båt? En del _____ pengar och köper senare,

4

när de har tillräckligt. Andra väljer att _____ pengar på banken eller

5

låneinstitut. Ekonomerna säger att det är en dålig affär eftersom räntan ofta är hög.

2 Svår ekonomi för studenter

Många studenter har svårt att _____ ekonomiskt. Ofta _____

1   2

de ett studentrum som är ganska dyrt. De måste _____ sig för böcker och

3

också. Pengarna _____ inte till mycket mer. Därför jobbar många extra.

4

3 Högre lön?

Den som har låg lön kan försöka _____ med chefen för att

1

_____ sin lön. En undersökning visar att en förhandling ofta

2

_____ 5–10 procents löneökning.

3

7 Partikelverb

Välj partikelverb ur rutan och skriv dem i rätt form där de passar in.

> hålla med   gå upp   gå ner
> låna ut   ligga kvar
> göra av med   sköta om

Berit har ganska mycket problem just nu. När klockan ringer på morgonen vill

hon bara _____ i sängen. Hon har ingen lust att gå till jobbet. Jag

1

har sagt att hon borde _____ till deltid om hon känner sig så trött.

2

Problemet är att hon älskar att shoppa och _____ en massa pengar

3

varje månad. Förra veckan frågade hon mig om jag kunde _____

4

min bil till henne en vecka på semestern. Men jag sa nej. Priset på bensin har

_____ upp jättemycket. En liter kostar nästan 15 kronor och jag vet att

5

hon inte har tillräckligt med pengar för att kunna betala bensinen. Jag är säker på

att hon kommer att ringa mig från bensinstationen och be om pengar. Dessutom

älskar jag min bil och jag tror inte att Berit skulle _____ den

6

ordentligt. Hon är nämligen ganska slarvig. Jag _____ om att man ska

7

hjälpa sina vänner, men ibland måste man säga nej också.

8 Prepositioner

Skriv rätt preposition.

1 Landet eller storstan?

Det finns många som drömmer ___*om*___ att bo i ett hus _____ landet. Där vill

de syssla ___*med*___ sådant de gillar och mår bra ___*av*___ att göra, att odla växter

eller fiska ___*till*___ exempel. Jag vill inte leva så. När jag är på landet längtar jag

___*efter*___ att göra roliga saker. Jag tycker om att gå ut _____ restauranger och

barer sent ___*på*___ kvällen. Och jag älskar att bo ___*på*___ hotell. Det är lycka

_____ mig!

2 Hur ska man leva egentligen?

Min sambo och jag är båda _____ 30-årsåldern. Vi älskar varandra men har

helt olika syn ___*på*___ många saker. Jag tycker om att ligga kvar _____ sängen

på morgonen medan hon är jättepigg och hoppar upp ___*ur*___ sängen direkt. Vi

pratar mycket _____ pengar. Hon jobbar minst 50 timmar _____ veckan

och tjänar en massa pengar. Jag jobbar deltid men min lön räcker ___*till*___ det jag

vill ha. Och jag tycker inte att man behöver spara så mycket. Min sambo tar en stor

del _____ lönen och investerar _____ aktier och fonder. Nu vill min sambo

att vi ska köpa en lägenhet mitt _____ stan tillsammans. Men jag vill inte ge

flera miljoner _____ en lägenhet. Livet handlar ___*om*___ annat än fina

bostäder. Det är klart att jag kan vänja mig ___*vid*___ att bo lyxigt, men jag tycker

att man ska göra det bästa _____ situationen man lever i. Min sambo behöver

öva sig ___*på*___ att inte fokusera så mycket ___*på*___ pengar.

Kopiering av detta engångsmaterial är förbjuden enligt lag och gällande avtal.

KAPITEL 3 · 37

Repetera

9 Adjektiv och adverb

Kryssa för rätt alternativ.

1   Lisas katter är ...
    a   väldig söta
    b   väldigt söta
    c   väldigt söt

2   Broccoli är ...
    a   nyttigt
    b   nyttig
    c   nyttiga

3   Tavlan är ...
    a   otroligt vackert
    b   otrolig vacker
    c   otroligt vacker

4   De kände sig ... i morse.
    a   pigga
    b   pigg
    c   piggt

5   Pizza är ...
    a   goda
    b   gott
    c   god

6   Åke och Isa sjunger ...
    a   vackra
    b   vackert
    c   vacker

7   Att dansa är ...
    a   rolig
    b   roligt
    c   roliga

8   Maten här är ...
    a   god
    b   gott
    c   goda

10 Tidsprepositioner

Ringa in rätt alternativ.

1   Pia jobbar extra en gång *i/om* månaden.

2   Stephen lärde sig perfekt svenska *i/på* ett år.

3   – Kom nu! Filmen börjar *om/i* fem minuter.

4   Agnes har jobbat som konsult *i/för* två år.

5   Mats och Per åker till Sydamerika en gång *om/i* året.

6   Det går snabbt att göra en omelett. Du gör det *i/på* fem minuter.

7   Carlos kom till Sverige *för två år sedan/om två år.*

8   Helene tittar på sin mobil en gång *om/i* minuten.

4

1 Verb: alla grupper

Verbgrupp	Imperativ	Infinitiv	Presens	Preteritum	Supinum
1	prata!	prata	pratar	pratade	pratat
2a	ring!	ringa	ringer	ringde	ringt
2b	köp!	köpa	köper	köpte	köpt
3	bo!	bo	bor	bodde	bott
4a it-verb	skriv!	skriva	skriver	skrev	skrivit
4b SPECIAL	säg!	säga	säger	sa(de)	sagt

Grupp 1: slutar på -*a* i imperativ och har ett *a* i alla former.
Grupp 2a: slutar på -*de* i preteritum. De slutar på konsonant i imperativ och på -*er* i presens.
Grupp 2b: slutar på -*te* i preteritum. De slutar på konsonant *(k, p, s, t, x)* i imperativ och -*er* i presens.
Grupp 3: slutar på -*dde* i preteritum och -*tt* i supinum. I imperativ slutar de på en lång vokal som inte är -*a*.
Grupp 4a (-it): slutar på -*it* i supinum. I preteritum har de ofta ingen ändelse. De byter ofta vokal.
Grupp 4b (SPECIAL): Man måste lära sig alla former utantill.

A Vilken verbgrupp tillhör de här verben och i vilken form står de?

spolat	ridit	rösta!	var	velat	klappat	förstod
tog	skaffar	längtade	kunnat	lekte	tjatar	hjälp!
gå!	trodde	stirra!	får	tänk!	blivit	skedde

 B Skriv alla former av verben i A. Exempel:

Imperativ	Infinitiv	Presens	Preteritum	Supinum
(1) spola!	spola	spolar	spolade	spolat

Kopiering av detta engångsmaterial är förbjuden enligt lag och gällande avtal.

KAPITEL 4 • **39**

2 Verb: presens particip

Stickande och bitande djur (adjektiv)
Gå sjungande eller pratande därifrån ... (adverb)
De boende i skärgården ... (substantiv)
Fästingen orsakar mycket lidande. (substantiv)

Presens particip är en verbform som fungerar som adjektiv, adverb eller substantiv.
Som adverb kommer presens particip oftast efter verb som *komma, gå, springa, sitta, ligga.*

Imperativ	Presens particip
prata!	pratande
stick!	stickande
bit!	bitande
bo!	boende

Imperativ som slutar på *-a:* + *-nde.*
Imperativ som slutar på konsonant: + *-ande.*
Imperativ som slutar på vokal (inte *-a*): + *-ende.*

Välj verb ur rutan och skriv dem i presens particip där de passar in.
Ibland kan flera alternativ vara rätt.

sova	värka	trösta	stirra	dö
växa	bo	drömma	längta	

1 Jag är rädd för det där _____ djuret. Jag tycker inte om ögonen.

2 _____ barn behöver mycket mat.

3 Den hungriga hunden tittade på bullarna med _____ blick.

4 Sara lyssnade inte på vad läraren sa. Hon tittade _____ ut genom fönstret.

5 Jag skulle vilja ha hjälp med mitt _____ ben.

6 Han är en riktig hypokondriker. Han tror alltid att han är _____ i någon allvarlig sjukdom.

7 Man ska inte väcka en _____ björn.

8 De _____ på Villagatan vill ha en trädgårdsfest.

9 Jag känner mig så ledsen. Kan du inte säga några _____ ord till mig?

3 Adverb: sambandsord

Huggormar biter sällan människor. Ormarna är nämligen rädda för människor och brukar ringla undan när en människa närmar sig.

Ett huggormsbett kan dock vara mycket farligt om man blir biten direkt i en blodåder.

Många människor är rädda för huggormar och vågar därför inte gå ut och vandra på ställen där de vet att det finns huggormar.

Man kan däremot vaccinera sig mot virussjukdomen TBE, som fästingen också kan överföra till människor.

Sambandsord knyter ihop meningar och visar hur de hänger ihop. Sambandsorden kan exempelvis uttrycka kontrast (*dock, däremot*) eller förklaring (*nämligen, därför*). *Dock* används mest i skriftspråk. OBS! Man börjar aldrig en mening med *nämligen* och sällan med *dock*.

A Skriv *nämligen*, *därför*, *dock* eller *däremot* i meningarna.

1 En katt passar bra i barnfamiljer. Man måste ___*Dock*___ kontrollera att ingen i familjen är allergisk innan man skaffar katt.

2 Fiskar behöver inga promenader eller mat på bestämda tider. _____ måste man städa akvariet ganska ofta.

3 Fåglar smutsar ner ganska mycket. ___*Därför*___ passar de personer som gillar att städa.

4 Olof jobbar inte kvar på kontoret. Han har ___*Nämligen*___ fått ett nytt jobb som hundtränare i Paris. Han flyttade dit i för en månad sedan.

5 Katter är normalt inte aggressiva. De kan ___*Dock*___ bli irriterade på barn som inte lämnar dem ifred.

6 Katarina har givit bort sina katter. Hon har _____ blivit allergisk.

B Skriv egna exempel med *däremot*, *därför*, *nämligen* och *dock*.

4 Ordkunskap

Kombinera fraserna. De kursiverade orden finns på s. 57 i textboken.

A 1 Om man dricker för mycket alkohol

   2 Man blir rädd

   3 En berusad älg

   4 Äpplen som ligger länge på marken

   5 När man stoppar någon från att göra något

   6 Istället för att säga att man har kontroll över något

   a när någon *skrämmer* en.

   b kan bli *jästa*.

   c kan man säga att man *har koll på* något.

   d kan man kalla *en fylleälg*.

   e blir man *berusad*.

   f *hindrar* man den personen.

B 1 En *dräktig* älgko

   2 En *älgkalv*

   3 En *älgstam*

   4 *Sedan dess*

   5 Om man *ändrar* på något

   6 Han kommer *ursprungligen* från Chile

   a är barn till en älg.

   b är ett annat uttryck för "efter det".

   c är samma sak som en population av älgar.

   d betyder att han kommer därifrån från början.

   e har en "älgbebis" i magen.

   f gör man det så att det blir på ett annat sätt.

C 1 Om du gör *en blandning* mellan svart och vitt

   2 Om du har en morot i handen

   3 När något blir mer eller större

   4 Den som *hellre* dricker te än kaffe

   5 När mycket *talar för* att man ska göra något

   a *ökar* det.

   b finns det många orsaker till att man ska göra det.

   c föredrar te.

   d blir det grått.

   e kan du *locka* hästen att komma till dig.

D 1 De skickade en helikopter

2 En person som är *ilsken*

3 Att gå *med stavar*

4 När man *stöter på* någon

5 Den som är *sumobrottare*

6 Bananer är inte raka,

7 När man inte vill eller kan längre

a brukar man *ge upp*.

b de är *böjda*.

c är mycket arg.

d för att *rädda* mannen som låg i vattnet.

e träffar man någon utan att ha planerat det.

f utövar en mycket gammal japansk sport.

g är en populär motionsform i Sverige.

5 Ord: verb till substantiv

Bilda substantiv av verben i rutan och skriv dem där de passar in.

| bita | lukta | attackera | vaccinera |
| orsaka | krocka | klättra | |

1 Björnar är mycket skickliga _____.

2 På E4:an skedde en trafikolycka igår. Det var en _____ mellan två personbilar.

3 _____ mot TBE är slut för tillfället.

4 Vargar går mycket sällan till _____.

5 Björnar reser sig på bakbenen för att känna _____ bättre.

6 Det är rött runt orm- _____.

7 Det finns ingen _____ att bli rädd om du ser en varg på långt håll.

6 Partikelverb

A Välj partikelverb ur rutan och skriv dem i rätt form där de passar in.

> följa efter   hälsa på   släppa ut   välja ut
>
> ge sig iväg   klättra upp   spola ner   växa upp
>
> ge upp   läsa igenom   svullna upp
>
> gå igenom   skriva om   ta hand om

1   Petra _____ på landet hos sin mormor och morfar. Hon

    älskade djur och brukade _____ deras hundar och hästar.

2   Igår när Lars gick hem märkte han att en hund _____ honom.

    Lars stannade och sa till hunden att den skulle _____ men

    hunden stod bara stilla och tittade på Lars. Hunden _____

    och försvann efter en stund i alla fall.

3   Läraren bad oss att först _____ texten och svara på

    frågorna. Vi _____ svaren tillsammans sedan. Efter det fick

    vi tillbaka våra texter som vi skrev förra veckan. Jag ska rätta alla fel och

    _____ texten. Sedan ska min lärare läsa den nya versionen.

4   Ulla och Muhammed _____ hemma hos oss för första

    gången igår. De hade med sin stora hund och vår lilla katt blev jätterädd.

    Jag öppnade dörren och _____ katten i trädgården och

    den _____ i ett träd. Den satt där uppe i flera timmar.

5   När Niklas var liten ville han ha en piraya. Han och hans mamma gick till

    djuraffären och Niklas _____ en som var extrafin. När han

    matade pirayan bet den Niklas. Hans hand _____. Niklas

    pappa _____ fisken i toaletten.

B Skriv en egen liten text där partikelverben från övning A ingår.

7 Verb: grupp 4a (-it) och 4b (SPECIAL)

A Skriv imperativ, presens, preteritum och supinum av verben.

Imperativ	Infinitiv	Presens	Preteritum	Supinum
	bita			
	bli			
	bryta			
	dö			
—	finnas			
	få			
—	föredra			
	förstå			
	ge			
	gå			
	göra			
	ha			
	hinna			
	hålla			
—	kunna			
	ligga			
	lägga			
	se			
	skjuta			
	sova			
	stå			
	säga			
	vara			
—	vilja			
	äta			

B Välj minst 10 av verben från A och skriv meningar med dem.
Eller skriv en historia som innehåller minst 10 av verben.

LEARN

8 Prepositioner

Skriv varje ord eller fras vid rätt preposition. Alla prepositionsfraserna
kommer från kapitel 4 i textboken. (ngn = någon, ngt = något)

allergisk … ngt	kalla ngt/ngn … ngt
~~attackerad … ngt/ngn~~	leta … ngt/ngn
drömma … ngt/ngn	ngt beror … ngt
dödad … ngt/ngn	rädda ngn … ngt/ngn
förklara (ngt) … ngn	skadad … ngt/ngn
förr … tiden	ta hand … ngt/ngn
försvara sig … ngt/ngn	vaccinera sig … en sjukdom
gränsen … Sverige och Norge	vara en symbol … ngt/ngn
gå … attack	vara farlig … ngt/ngn
hindra ngn … att göra ngt	välja … x och y
intresserad … ngt/ngn	ändra … ngt

1 av

attackerad

_____

_____

_____

2 efter

_____

3 från

_____

_____

4 för

_____

_____

_____

5 i

_____

6 mellan

_____

7 mot

_____

_____

_____

8 om

_____

_____

9 på

_____

_____

10 till

_____

Repetera

9 Reflexiva pronomen

Skriv reflexiva pronomen.

1	jag	_____	4 vi	_____ vår
2	du	_____	5 ni	_____
3	han/hon/den/ det/man	sin	6 de	sin

10 Reflexiva verb

Välj verb ur rutan och skriv dem i rätt form där de passar in.

försvara sig	koncentrera sig	närma sig
ge sig iväg	lägga sig	resa sig
harkla sig	lära sig	vaccinera sig

1 – Jag har svårt att _____ nya namn. Men om jag verkligen

_____ när någon presenterar sig och säger namnet tyst för mig

själv flera gånger kan det fungera.

2 Eva är så rädd för sprutor. Hon _____ mot TBE förra veckan.

Hon satt på en stol och när hon skulle _____ upp efteråt blev hon

yr. Sjuksköterskan sa till henne att _____ ner på britsen ett tag.

Efter en stund kändes det bättre.

3 – Igår i skogen såg vi en björn. Den _____ och vi blev rädda.

Den kom närmare och närmare. Men när vi _____ hörde den oss

och _____. Puh.

– Oj! Förra året i skogen så jag en björnhona som _____ och sin

unge mot en örn som attackerade dem. Örnen försvann efter ett tag.

11 Ordföljd: huvudsats och bisats

Sortera meningarna. Börja med orden i fet stil.

1 **När jag var** /10 / jag / red / år.

_____

2 **En hund** / ha / jag / ville.

_____

3 **Jag sa att** / jag / min / kunde / spara / veckopeng.

_____

4 **När jag presenterade** / de / för / föräldrar / idén / mina / nej / sa.

_____

_____

5 **Nu** / nästa / startade / övertalningskampanj.

_____

6 **Den blev ganska kort eftersom** / för / katter / min / pappa / rädd / var.

_____

_____

7 **Fåglar** / jag / ha / inte / ville + **eftersom** / dem / för / rädd / var / jag.

_____

_____

8 **Jag förstod att** / djur / få / inte / något / jag / skulle.

_____

9 **Då** / en / idé / mamma / fick.

_____

10 **Hon förstod att** / djur / efter / jag / längtade / mycket + **så** / djuraffären / gick /

hon / iväg / till.

_____

_____

5

1 *Hemma hos* eller *hem till*?

> Siri sa att vi självklart kan bo hemma hos henne.
> …kom hem till mig så ska jag berätta.

Position: *(hemma) hos* + objektsform
Destination: *(hem) till* + objektsform

A Skriv *hemma hos* eller *hem till*. OK

1 _____ oss har vi ingen teve.

2 Ska vi gå _____ Ann och titta på hennes nya hund?

3 Imorgon ska vi äta _____ farmor och farfar.

4 Det är så mysigt _____ dig!

5 Kom _____ mig i helgen och fika!

B Skriv 2 egna exempel med *hemma hos* och 2 med *hem till*.

2 Prepositioner: *hos, till* eller *på*?

> Susanne är hos tandläkaren.
> Min cykel är stulen. Jag måste gå till polisen och anmäla det.
> Ikväll ska vi gå på opera.

Position: *vara hos* person: *frisören/doktorn/tandläkaren/Peter*
(också institution som heter som en person: *polisen*).

Destination: *gå/ringa/åka … till frisören/doktorn/tandläkaren/stan/Peter/polisen.*

Aktivitet (fokus på aktiviteten och inte på transporten till specifik plats):
gå på bio/teater/opera/nattklubb/museum/krogen.

Jämför: transport (fokus på transporten och inte på aktiviteten):
gå/åka/köra/flyga till bion/teatern/operan/nattklubben/museet.

Hos, till eller *på*? Skriv rätt preposition. *OK*

1 Igår när jag var _____ Frida frågade hon om jag ville gå _____ konsert

1   2

   med henne. Det ville jag såklart. Sedan ringde vi _____ Elsa och frågade

     3

   om hon också ville följa med. Hon var _____ frisören när vi ringde.

     4

2 På söndagar brukar Annika och hennes barn gå _____ museum, men den

     1

   här veckan ska de åka hem _____ Annikas mamma. Barnen tycker att det

     2

   är så mysigt hemma _____ mormor. Där doftar det alltid gott av nybakade

     3

   bullar. Så är det inte _____ farmor och farfar. När Annika och barnen åker

     4

   _____ dem köper de alltid med sig bullar eller kakor.

5

3 Subjunktioner

Tid	**Kontrast**	**Resultat**
när	även om	så att
medan	trots att/fastän	
innan		**Avsikt, Plan**
tills	**Villkor**	för att
(inte) … förrän	ifall	
	om	**Allmän**
Hur		att
utan att	**Varför**	
genom att	eftersom/därför att	

Lena åker till stan för att handla.
Olof svarade utan att tänka.
Michael lärde sig svenska genom att se svenska filmer.

för att/utan att/genom att +
infinitiv om det är samma
subjekt i huvudsatsen och
bisatsen.

Lukas går till kursen varje dag, även om han är trött.
Monica är på jobbet idag, trots att hon är förkyld.

även om = hypotes eller fantasi
trots att/fastän = faktum eller
verklighet

A Skriv en subjunktion som passar.

1 Igår ringde jag till John _____ fråga _____ han ville följa med och
                                  1   2

   träna. John sa _____ han gärna ville, men att han inte kunde _____
                         3   4

   han hade lite feber. Han ville inte träna _____ han var helt frisk. *TÖ LÄN*
                                                   5

2 Förra veckan hade Ludvig prov på Europas länder och huvudstäder.

   Han lärde sig alla namn _____ *GENOM ATT* associera till olika saker. Han tänkte till
                                            1

   exempel: Makedonien = macka. En macka kan man ha i skåpet = Skopje.

   Så höll han på _____ han kunde allt. _____ han pluggade, lyssnade
                            2   3

   han på musik. Natten före provet sov han dåligt och han var lite nervös

   _____ han gick till skolan. _____ han var trött och nervös gick provet
       4   5

   bra. Han var färdig 15 minuter _____ provtiden var slut.
                                               6

3 Niklas och Maria grillar varje dag på somrarna, _____ det är dåligt väder.
                                                            1

   Niklas brukar lägga biffarna i marinad dagen innan, _____ de smakar
                                                                2

   riktigt gott. Han har gjort grillmarinad massor av gånger så han gör

   marinaden _____ titta i recept.
                         3

B Komplettera meningarna.

1 Eftersom jag är så trött …

2 Ska vi inte vänta tills …?

3 Skynda dig så att …

4 Man kan lära sig ett bra uttal
   genom att …

5 Medan Sören diskar …

6 Vi börjar inte förrän …

7 Om det regnar imorgon …

8 … trots att det är sent.

9 My tackade ja till jobbet utan att …

10 Jag måste repetera mycket för att …

11 Jag förstår att …

12 När solen skiner …

4 Ordföljd: indirekt tal

Jag sa att jag inte kunde bestämma något ...
Hon frågade ifall jag hade lust att åka till Stockholm.
Vet du när bussarna går?

Påstående
... säger/berättar/tycker/svarar ... + att + bisats
Ja/Nej-Fråga
... frågar/undrar/vill veta ... om/ifall + bisats
Frågeordsfråga
... frågar/undrar/vill veta ... + frågeord + bisats

Direkt Tal	Indirekt Tal
Vem (= s) frågade efter dig?	Vet du vem som frågade efter dig?
Vad (= s) hände igår?	Vet du vad som hände igår?
Vad (= o) gjorde jag (= s) igår?	Vet du vad jag gjorde igår?

Om frågeordet är subjekt i direkt tal måste man använda *som* i indirekt tal.

A Skriv om dialogerna i indirekt tal. Exempel:

> *Ola undrar vad Per och Clair ska göra ikväll.*
> *Britta svarar att ...*

1 Ola: Vad ska Per och Claire göra ikväll?

   Britta: Jag vet inte.

   Ola: Ska vi fråga om de vill följa med på opera?

   Britta: De tycker inte om opera.

2 Agneta: Vem har skrivit artikeln?

   Pelle: Jag har skrivit den.

   Agneta: Den är helt fantastisk.

   Pelle: Jag är faktiskt nöjd med den.

3 Anders: Vad har hänt?

   Magdalena: Bilen startade inte.

   Anders: Varför startade den inte?

   Magdalena: Någon har stulit batteriet.

B Komplettera meningarna.

1 Vet du vem…?

2 Mammor säger alltid att…

3 Jag undrar hur mycket…

4 Vet du varför…?

5 Varför säger folk att…?

6 Läraren frågar om…

7 Mina vänner undrar när…

8 Man vill gärna veta vad…

9 Forskarna påstår att…

10 Det står i tidningen att…

5 Verb: preteritum eller presens perfekt

Skriv verben inom parentes i preteritum eller presens perfekt. Titta på s. 273
i Minigrammatik om du behöver repetera reglerna.

1 Agnes _____ (börja) snusa när hon blev arbetslös. Hon
        1

_____ (snusa) i fem år nu.
        2

2 Basar _____ *Kom* _____ (komma) till Sverige 2005. Han _____ (bo)
        1   2

i Gävle först men han ___ *FLyTTADE* ___ (flytta) till Umeå 2010. Han
                              3

_____ *boTT* (bo) där ganska länge nu och trivs bra.
        4

3 Cissi _____ (plugga) på universitetet i Lund på 00-talet.
        1

Cissi _____ (börja) på Tandläkarhögskolan 2005 men hon
        2

_____ (träffa) David som _____ (studera) till jurist.
        3   4

Han _____ (vara) jättenöjd med sina studier så hon
        5

_____ *byTT* (byta) utbildning. Hon _____ (ta) examen fem år
        6   7

senare. Cissi _____ (jobba) några år som jurist nu och hon gillar det.

4 Erki ___ *HAr ReST* ___ (resa) till Chile många gånger. Han älskar landet och
        1

folket. Han _____ (lära sig) spanska för att kunna prata med
                2
folk där. *HAr LÄrT*

Kopiering av detta engångsmaterial är förbjuden enligt lag och gällande avtal.

KAPITEL 5 • **53**

6 Substantiv: bestämd form

> Sedan ligger vi i soffan allihop
> Man kanske biter på naglarna, smaskar när
> man äter, svär mycket eller petar sig i näsan.

> När substantivet tillhör eller är en
> del av subjektet använder man ofta
> bestämd form.
> OBS! Efter possessivt pronomen och
> genitiv kommer alltid obestämd form:
> *De köpte sin soffa i Frankrike.*
> *Ullas naglar är så vackra!*

Skriv substantiven inom parentes i rätt form.

1 När jag var ute och sprang igår fick jag ont i _____.
   1 (fot)

   Jag kunde inte gå på min högra _____. Jag var långt hemifrån
   2 (fot)

   så jag tog _____ och ringde till min _____.
   3 (mobil)   4 (man)

   Han kom med _____ för att hämta mig efter en timme.
   5 (bil)

   Det tog så lång tid för han kunde inte gå ifrån _____ direkt.
   6 (jobb)

2 I morse när jag kom till _____ kunde jag inte komma in.
   1 (kontor)

   Jag hade glömt _____ hemma i lägenheten. Jag skickade ett sms
   2 (nyckel)

   till min _____ som bor nära _____ och frågade om han
   3 (kollega)   4 (jobb)

   var på väg. Han svarade att han måste stanna hemma, för han hade

   så ont i _____. Men hans _____ kunde komma förbi
   5 (mage)   6 (sambo)

   när hon var ute med _____. Hon kunde ta med sig hans
   7 (hund)

   _____ som jag kunde låna. Vilken tur!
   8 (nyckel)

7 Relativa pronomen: *vilket* och *något som*

Tack vare odlingen av sockerbetor kunde man starta en egen sockerindustri, vilket blev startpunkten för masstillverkning av godis i Sverige. (= Det blev startpunkten för masstillverkning av godis ...) Samtidigt fick filmen sitt genombrott, något som också ökade godisförsäljningen. (= Det ökade också godisförsäljningen.)

Vilket/något som refererar till en hel sats.
Vilket/något som kan vara subjekt i den relativa bisatsen. Det används mest i formellt språk.

A Skriv om meningarna med *vilket* eller *något som*.

1 Kristin kan kinesiska. Det är bra för hennes karriär.

2 Eleverna kommer alltid för sent. Det irriterar läraren mycket.

3 Oljepriset har gått upp. Det gör att det blir dyrare att resa.

B Komplettera meningarna.

1 Göran brukar smaska när han äter, vilket ...

2 Adrian röker 30 cigarretter om dagen, vilket ...

3 Våra grannar spelar ofta hög musik på nätterna, något som ...

8 Adverb för position, destination, från position

A Komplettera tabellen med de adverb som saknas.

position	destination	från position
där	dit	därifrån
här		härifrån
var	vart	
hemma		
borta	bort	bortifrån
inne		ifrån
ute		
S	p	uppifrån
nere		
ME	fram	framifrån

Kopiering av detta engångsmaterial är förbjuden enligt lag och gällande avtal.

KAPITEL 5 • 55

B Skriv rätt form av adverben.

borta 1 Svetlana hittar inte sina nycklar. De är _____. Hon tror att

hon tappade _____ dem på tunnelbanan.

där 2 Niklas vill åka till Göteborg. Han vet inte om han ska ta bussen

eller tåget _____. När han är _____ ska han gå på

musikal och träffa vänner.

framme 3 Olof och Matilda ska segla till Gotland. De hoppas att de är

_____ imorgon. När de kommer _____ ska de titta

på Visby och äta glass.

hemma 4 De flesta ungdomar vill flytta _____ efter gymnasiet

men det är svårt att hitta bostad. De måste bo _____ hos

mamma och pappa några år till. Och några som har flyttat

till en andrahandslägenhet måste flytta _____ igen när

kontraktet går ut.

här 5 Många läkare kommer _____ till Sverige för att jobba. De

får ofta jobba på landet _____ i Sverige.

inne 6 Petronella och hennes dotter var på lekplatsen igår men de gick

_____ när det började regna. Petronella gillar inte regn så

de satt _____ resten av dagen.

nere 7 Kalle har ingen porttelefon så när han får gäster kastar han

_____ nycklarna på gatan.

uppe 8 _____ Stadshustornet ser man nästan hela Stockholm.

Man kan gå _____ i tornet, eller åka hiss.

ute 9 I Stockholm är majoriteten av invånarna inte födda i stan.

De har kommit _____. Några stockholmare flyttar

_____ på landet, men de är inte så många.

Repetera

9 Konjunktioner

Välj bland konjunktionerna i rutan och skriv dem där de passar in.

> antingen ... eller ...   (inte) ... utan ...   både ... och ...   varken ... eller ...

1 Ture behöver hjälp. Han har _____ pengar _____ bostad.

2 Carola ska börja studera på universitetet men hon vet inte vad. Hon ska plugga

   _____ franska _____ tyska.

3 Martin är så stressad. Han har _____ tid _____ lust att göra läxan.

4 Noi ska inte äta lunch ute _____ ta med lunchlåda till jobbet.

5 Sigvard gillar inte att frysa. Han har på sig _____ mössa _____ vantar.

6 Ulla sparar inte pengar på banken _____ spenderar allt på nöjen.

7 Liudmila har barn och barnbarn. Hon är _____ mamma _____ mormor.

10 Adjektiv + substantiv

Skriv adjektivet och substantivet i rätt form.

1 två ... (trött, katt)

   trötta katter

2 de ... (röd, hus)

   _____

3 några andra ... (intressant, problem)

   _____

4 de där ... (ny, strumpa)

   _____

5 det här ... (fin, hus)

   _____

6 vilket ... (viktig, meddelande)

   _____

7 mormors ... (gammal, brev)

   _____

8 nästa ... (ledig, dag)

   _____

11 Verb: alla former

A Komplettera tabellen med verbgrupper och former.

Grupp	Imperativ	Infinitiv	Presens	Preteritum	Supinum
2A			E	anställde	
2a	—			betydde	betytt
4a (-it)				blev	
1	—			brukade	A
4a (-it)	i	i	i	försvann	försvunnit
2B				försökte	X
1				handlade	HANDLAT
1	A				hittat
1	—	kallas	kallas	kallades	A S
1	A			kokade	A / KOKT
4a (-it)				kom	KOMMIT
4b (SPECIAL)	—	KUNNA		kunde	KUNNAT
2A				levde	LEVT
1	AS		S	lyckades	lyckats
1	MINSKA	minska			
1		odla			A
4b (SPECIAL)				såg	
4B	X	A	säljer	sålde	SÅLT
4b (SPECIAL)		A	säger	SA	SAGT
3				trodde	
2a		A		återvände	ÅTERVÄNT
2a		A		styrde	X
4a		äta			ätit

B Välj 10 av verben i A och skriv egna meningar.

6

1 Verb: konditionalis 1

Vad skulle du göra om du var kung i Sverige?
Om jag var kung skulle jag köpa en häst.

Man tänker hur saker skulle vara om det inte var som de är nu (hypotetiskt fall).

Huvudsats: *skulle* + infinitiv
Bisats: preteritum

A Sortera bisatserna.

Vad skulle du göra …

1 … pengar/inte/om/hade/du/några?

INTE
↑

2 … hittade/10 000 kr/om/gatan/du/på?

3 … blev/du/i/kär/om/bästa väns/din/partner?

INTE FANNS
↑

4 … fanns/elektricitet/om/inte/bostad/din/det/i?

5 … en björn/mötte/om/skogen/i/du?

B Svara på frågorna 1–5. Exempel:

1 Då skulle jag sälja mitt hus.

C Skriv 5 egna frågor enligt modellen:
Vad skulle du göra om …?

D Ställ dina frågor till någon i gruppen.

2 Ordkunskap

Välj ord ur rutan och skriv dem i rätt form där de passar in.

riksdagen	medborgare	kärnkraft	barnbidrag	uttryck
styr	val	undantag	åsikt	skatt
borgerlig	förändras	makt	löser	jämlikhet
minskar	välfärdsstat	avbrott	regering	

1 Jag har ett svårt problem. Jag vet inte hur jag ska _____ LÖSA det.

2 Sveriges parlament heter _____.

3 _____ betyder att alla människor är lika mycket värda.

4 Ett _____ är ungefär detsamma som en paus.

5 I en _____ ska alla ha det bra socialt och ekonomiskt.

6 I Sverige får man mer än 1 000 kronor i månaden i _____ barnbidrag för varje

   barn upp till 16 år.

7 Den som bestämmer har _____ makt

8 När det är _____ röstar man på det parti man tycker har bäst politik.

9 Statsministern är "chef" över sin _____.

10 Alla har rätt att säga vad de tycker. Alla har rätt att uttrycka sin _____.

11 Alla som arbetar betalar cirka 30 % i inkomst-_____ skatt

12 I Sverige kommer en stor del av energin från _____ kärnkraft (atomenergi).

13 Diktatorn _____ styr landet i mer än 10 år.

14 De flesta partier som inte är socialistiska är _____.

15 De som bor i en stat är _____. medborgare

16 Världen har _____ de senaste 100 åren. Ingenting är som förr.

17 Att "hålla koll" är ett _____ som betyder ungefär "att kontrollera".

18 Den här regeln gäller till 100 %. Den har inga _____. undantag

19 Vi måste försöka _____ koldioxidutsläppen.

3 Verb: presens futurum (presens)

> Vi startar en kampanj nästa månad.
> Om det går dåligt tänker jag starta ett annat parti.

Man kan använda presens i fraser för att beskriva framtiden: presens + framtidsuttryck eller presens i konditionala och temporala bisatser som börjar med *om, ifall, när, medan* osv.

A Skriv meningar med tidsuttrycken i rutan. Använd presens.

| om en timme | nästa vecka | imorgon | ikväll | i sommar |

Exempel:

Filmen börjar om en timme.

B Komplettera meningarna. Exempel:

Medan du jobbar ska jag städa hemma.

1 Medan ... ska jag ta en dusch.
2 Medan ... kommer Ola att jobba.
3 Medan ... kommer jag att dricka champagne.
4 Om ... ska jag flytta.
5 Om ... ska vi ha en picknick.
6 Om ... ska jag köpa en fin klocka.

Kopiering av detta engångsmaterial är förbjuden enligt lag och gällande avtal.

KAPITEL 6 • **61**

4 Verb: presens futurum (kommer att, ska, tänker)

Fisken kommer att försvinna från våra vatten ...

Kommer att + infinitiv = en naturlig process/logisk konsekvens/prognos.
Subjektet planerar eller bestämmer inte.

Vi ska annonsera i olika tidningar.
Det ska regna imorgon.

Ska + infinitiv uttrycker vad subjektet eller någon annan vill, beslutar eller planerar för framtiden.

Ska uttrycker också att informationen inte kommer från den som talar (= andrahands-information).

Om man har fokusbetoning på ska betyder det att man lovar något, ofta efter att någon har tjatat på en: Stäng av teven nu! Ja, jag SKA (stänga av den).

I fraser med Det ska bli + positivt adjektiv betyder ska samma sak som kommer att (= prognos): Det ska bli roligt/kul/härligt!

A Skriv *kommer att* eller *ska*. Ibland kan båda vara rätt men ha lite olika betydelse. Välj alternativet som är bäst.

1 Soppan _____ bli jättestark om du har i mer chili.

2 Du _____ bli sjuk om du inte slutar röka.

3 Kajsa _____ bli tandläkare när hon blir stor.

4 Regeringen har beslutat att de _____ höja skatten med

   en krona.

5 Vi _____ beställa en ny teve på nätet.

6 Arbetsmarknadsministern har lovat att arbetslösheten

   _____ sjunka.

7 Roine är mycket duktig. Han _____ bli en bra partiledare.

8 Jag _____ gå till banken och ta ut pengar efter jobbet.

9   Doktorn sa att farmor _____ bli helt frisk med den nya

    medicinen.

10 Jag _____ ge tillbaka alla pengar jag har lånat!

11 Den där filmen _____ vara fantastisk, har jag hört.

12 Det _____ SKA bli underbart att åka på semester nästa vecka!

13 Räntan _____ K. A. gå upp nästa år har jag hört.

14 Det _____ Ska bli härligt med semester, tycker Ulla.

15 Många djur _____ försvinna på jorden på grund av

    miljöförstöringen.

B   Skriv 3 egna meningar med *ska* och 3 med *kommer att*.

Om det går dåligt tänker jag starta ett annat parti.

Tänker + infinitiv = planerar

C   Välj mellan *kommer att* + infinitiv och *tänker* + infinitiv.
    Skriv ett verb som passar.

1   Jag _____ en ny dator snart.

2   Ta det lugnt. Allt _____ bra.

3   Pelle _____ jättearg när han ser att någon har tagit hans

    cykel.

4   Nina och Folke _____ till Thailand i vinter.

5   Jag _____ ligga i soffan och titta på film hela helgen. ska

6   Du _____ mycket bättre om du slutar röka.

7   Urban _____ sin sambo om hon vill gifta sig med honom.

8   Kristin _____ friskare om hon går ner i vikt.

9   Jag hoppas att min lön _____ upp nästa år.

D   Skriv 3 egna exempel med *tänker* + infinitiv.

Repetera

5 Verb: presens particip

A Skriv presens particip.

1 ett problem som växer   _ett växande problem_

2 en kvinna som tror   _En troende kvinna_   troende

3 en person som förstår   _En förstående_   förstående

4 ett lejon som sover   _ett sovande lejon_

5 en sak som liknar   _en liknande_

6 en färg som passar   _en passande färg_

B Välj verb ur rutan och skriv dem i presens particip där de passar in.

> följer   välkomnar   växlar om   ökar
>
> liknar   griper   styr själv

1 Filmen var så _____ att jag började gråta.

2 Att jobba som sjuksköterska är _____ om växlande _____. Varje dag

   gör man olika saker.

3 Kommunerna är delvis _____ självstyrande _____. De bestämmer

   ganska mycket själva.

4 Jag har ett _____ problem. Jag känner igen mig

   i din situation.

5 Förstår du _____ ord: regering, riksdag, landsting?

6 Hotellet hade en _____ välkomnande _____ atmosfär. Man kände sig genast

   hemma där.

7 I många länder i Europa dricker man mer och mer alkohol.

   Det _____ alkoholmissbruket skapar stora problem.

6 Adverb: sambandsord

Skriv *nämligen, dock, därför* eller *däremot* i luckorna.

1 Anki äter inte kött. Hon är _____ vegetarian. *NÄMLIGEN*

2 Det borgerliga blocket regerade tillsammans länge. De

   hade _____ svårt att komma överens om kärnkraften.

3 Dick gillar inte hundar. Han är _____ hundrädd.

4 Fredrik Reinfeldt förlorade valet. _____ avgick han som
   partiledare.

5 Fredrika gillar inte räkor. _____ äter hon hummer.

6 Kalle har slutat rida. Han har _____ blivit allergisk mot hästar.

7 Kungen har ingen konstitutionell makt. _____ får han inte
   prata om politiska frågor.

8 Regeringen skriver propositioner. Riksdagsmän _____ *DÄREMOT* kan
   skriva motioner.

7 Subjunktioner

Komplettera meningarna.

1 Lillian betalar ganska mycket skatt eftersom …

2 Regeringen har lovat att …

3 Fiskpartiet vill vinna röster genom att …

4 Peter funderar länge innan …

5 Anders Andersson blev statsminister trots att …

6 Man måste arbeta hårt om …

7 Elsa ringer till sitt parti för att …

8 De vill starta ett nytt parti även om …

9 Det är svårt att bli rik utan att …

Kopiering av detta engångsmaterial är förbjuden enligt lag och gällande avtal.

KAPITEL 6 • **65**

1 Relativa pronomen och adverb

... en plats som inte är så lätt för andra att hitta.

... en plats där det växer smultron.

... en plats dit man gärna kommer tillbaka.

... en bror och en syster vars pappa dör.

Riddaren försöker vinna över döden, vilket är omöjligt.

Som är ett relativt pronomen som refererar till ordet framför. Ibland är *som* subjekt:
Jag har en hund. Hunden (= s) *är jättesnäll.* → *Jag har en hund som* (= s) *är jättesnäll.*

Ibland är *som* inte subjekt:
Jag har en hund. Alla barn vill klappa hunden (= o). →
Jag har en hund som (=o) *alla barn vill klappa.*
När *som* inte är subjekt kan man stryka det:
Jag har en hund alla barn vill klappa.

Om man har en preposition sätter man den sist:
Det är en plats som jag gärna åker till.

Där/Dit är relativa adverb som refererar till en plats. *Där* = position, *dit* = destination.
Man måste alltid ha ett subjekt efter *där/dit.*

Vars är genitivform.
Vilket refererar till hela satsen framför.

A Skriv rätt pronomen eller adverb.

```
som    där    dit    vars    vilket
```

1 Mitt smultronställe är en plats _____ jag kan vila och _____ jag ofta
                                       1   2

   åker. Det är mitt sommarställe _____ ligger i skogen vid en sjö. Det var
                                      3

   min farfarsfar, _____ familj var mycket stor, _____ byggde det. Han
                        4   5

   byggde ett stort hus _____ alla skulle få plats i.
                             6   *Som*

2 Igår såg jag en film __*Som*__ var mycket intressant. Filmen handlar om en
                            1

   flicka _____ pappa är alkoholist. De bor i en stad _____ den sociala
              2   3

   kontrollen är mycket hård. Alla vet att pappan dricker och ingen vill leka

   med henne. Flickan går i en skola __*Dit*__ elever kommer från byarna runt
                                            4

   staden. En dag kommer en pojke _____ blir hennes kompis. De
                                        5

   upptäcker att de har samma problem i sina familjer _____ gör att de
                                                           6

   börjar planera hur de ska lösa problemet med de alkoholiserade papporna.

B Gör meningar med *som*. Exempel:

Jag har en kompis. Jag fikar ofta med honom.

> *Jag har en kompis som jag ofta fikar med.*

1 Inte långt från mitt hus finns en skog. Jag springer ofta i den.
2 På biblioteket har de en fotobok. Jag tittar mycket i den.
3 I Malmö finns en park. Jag promenerar mycket i den.
4 Ingmar Bergman var en regissör. Många blev inspirerade av honom.
5 På en fest träffade jag en man. Jag drömmer ofta om honom.
6 Jag har ett eget företag. Jag har investerat mycket pengar i det.
7 Ett smultronställe är en plats. Man kommer gärna tillbaka till den platsen.

2 Perfekt particip

Grupp	Supinum	Perfekt particip		
		en	ett	bestämd form/plural
1	tärna | t	en tärnad potatis	ett tärnat äpple	den tärnade potatisen det tärnade äpplet två tärnade äpplen/de tärnade äpplena
2a	fyll | t	en fylld paprika	ett fyllt äpple	den fyllda paprikan det fyllda äpplet två fyllda paprikor/de fyllda paprikorna
2b	stek | t	en stekt biff	ett stekt ägg	den stekta biffen det stekta ägget två stekta biffar/de stekta biffarna
3	bre | tt	en bredd smörgås	ett brett knäcke-bröd	den bredda smörgåsen det bredda knäckebrödet två bredda smörgåsar/de bredda smörgåsarna
4a (-it)	rivi | t	en riven ost	ett rivet äpple	den rivna osten det rivna äpplet två rivna ostar/de rivna ostarna
4b (SPECIAL)	sål | t	en såld bok	ett sålt hus	den sålda boken det sålda huset två sålda böcker/de sålda böckerna

---

Perfekt particip fungerar som adjektiv. När man bildar perfekt particip utgår man från supinumformen. Man böjer participet efter substantivet (en/ett/plural/bestämd form).

Efter *är, blir, känner sig, ser … ut* och *verkar* kommer perfekt particip.

Efter *har* eller *hade* kommer supinum. Supinum är oböjligt.

A Skriv former och verbgrupper.

Grupp	Supinum	Perfekt particip		
		en	ett	bestämd form/ plural
1	bakat	bakad	bakat	bakade
2A	rökt			DA
	vispat			
	sytt			
	skrivit			
	lagat			
	gjort			
	mosat			
	lagt			
	försvunnit			
	köpt			
2A	böjt			
2A	fött			
	släckt			
	producerat			
	skjutit			

B Perfekt particip eller supinum? Skriv verben i rätt form.

målar
1 Min mormor har _____ den här tavlan. Och den här

tavlan är _____ av min kusin.

stressar
2 Jag känner mig väldigt _____ idag. Jag har

_____ för mycket den här veckan.

röker
3 Vem har _____ de här korvarna? Jag älskar _____ ?

korvar!

fyller
4 Ikväll ska vi äta _____ paprikor. Jag har _____

dem med en massa goda saker.

| syr |

5 Den här blusen är _____ av min bror. Han har

_____ många av mina kläder.

| river |

6 Vi ska ha fem _____ äpplen till kakan. Har du

_____ dem än?

---

närproducerad mat
hemlagad mat
ugnsgräddad pannkaka

Man kan bilda perfekt particip med olika småord.
Ibland ändras småordet lite:
producerat nära → *närproducerad*
lagat hemma → *hemlagad*

Man kan också bilda perfekt particip med prefix
och verbpartikel först:
"inte sett" → *osedd*
ätit upp → *uppäten*

C Skriv perfekt particip av de kursiverade partikelverben.

1 Jag har *ätit upp* bullarna. Bullarna är _____. UPPÄTNA

2 Vi har *druckit upp* kaffet. Kaffet är _____. FRAMTAGNA

3 Jag ska på fest och har *tagit fram* alla kläder. Kläderna är _____.

4 Jag har *kryssat för* rätt alternativ. De rätta alternativen är _____. E

5 Jag har *stängt av* datorn. Datorn är _____. AVSTÄNGD

6 Tina har *gift om* sig. Hon är _____.

7 På Nobelfesten har alla gäster *klätt upp* sig. Gästerna är _____. A

8 De har *delat ut* tidningarna. Tidningarna är _____. DE.

9 Den här filmen *spelade* man *in* i Moskva. Filmen är _____

i Moskva.

10 Jag har *skrivit upp* vad jag ska köpa på en lapp. Det är _____ UPPSKRIVEN

på en lapp.

11 De har *hängt upp* tavlorna. Tavlorna är _____.

12 Jag har *skrivit om* texten. Texten är _____.

3 Verbpartikel + preposition

> Ett ungt par åker ut i Skärgården.
> De glider fram över vattnet i roddbåt.
> När det är kallt på vintern kan de gå ut på isen.

I svenskan kommer ibland en preposition efter en verbpartikel som anger riktning.

A Välj partikel och preposition ur rutan och skriv dem där de passar in.

ut ur	ut genom	in i	ut på
upp för	ut över	in genom	ut i

1 I morse försov jag mig och kom för sent till skolan. När jag kom _____

_____ klassrummet såg min lärare lite irriterad ut.

2 Orkar du cykla _____ _____ den där branta backen? Det är ju jättejobbigt!

3 Monica älskar att sitta på balkongen och titta _____ _____ havet.

4 Ludvig parkerade och gick _____ _____ bilen och låste dörren.

5 Solen sken när de vaknade och de ville snabbt komma _____ _____ naturen.

6 Om man går _____ _____ den här dörren kommer man direkt

_____ _____ gatan.

7 När mormor vaknade i morse stod det en älg ute i trädgården och tittade

_____ _____ fönstret!

B Skriv egna exempel med verbpartikel + preposition från A.

4 Verb: *känner*

> Jag har känt Ingmar i tre år.
> Känner du till de här regissörerna?
> Om du vill lära känna den samiska kulturen finns det flera samebyar …
> Om du känner dig trött på skidåkning och party …
> Man känner en enorm trötthet …
> Det känns bra att äta ekologisk mat.
> Har du feber? Får jag känna på din panna?

Verbet *känner* använder man på många olika sätt.

känner + person(er) = är vän/bekant med:
Jag känner en person som kan hjälpa dig.

känner till = har kunskap om/vet något om:
Känner du till någon bra restaurang här?

lär känna = blir vän/bekant med: *Vi lärde känna varandra i skolan.*

känner sig + adjektiv = mår/upplever: *Hon känner sig glad.*

känner + substantiv = upplever: *Hon känner en stor glädje.*

Det känns + adjektiv = tycker/tänker att det är på ett speciellt sätt:
Det känns tråkigt att kursen är slut.

känner på = lägger handen/fingrarna på något:
Känn på den här tröjan. Den är så mjuk!

A Välj ord/fraser ur rutan här ovanför och skriv dem i rätt form där de passar in.

1 Det är måndag morgon. Peter vaknar. Han _____ trött och hängig.
   Det _____ *KÄNNS* kallt i rummet. Han _____ *KÄNNER* på elementet.
   2   3
   Det är alldeles kallt. Han måste ringa till hyresvärden och felanmäla. Suck.

2 Ahmed har just flyttat till Landskrona. Förut bodde han i Umeå. Där
   KÄNDE
   _____ han många människor. Men här _____ han
   1   2
   ingen. Han _____ några uteställen. Han kanske skulle gå ut
              3
   någon kväll. På så sätt kan han _____ lite nytt folk. Då kanske
                                   4
   det _____ *KÄNNS* bättre.
       5

3 Camilla går till doktorn för hon har ont i magen. Hon _____ 1

verkligen inte pigg. Doktorn _____ på hennes mage och 2

konstaterar att den är svullen.

känner sig

– Du måste stressa mindre, säger han till Camilla. Hon _____ 3

bättre när hon går därifrån.

4 I lördags sprang Oscar maraton. När han kom i mål hade han ont i fötterna

och han _____ en enorm trötthet i benen. Han _____ 1 2

slut i hela kroppen, så han tog taxi hem. Det _____ 5 _____ skönt att ?

komma hem och lägga sig i soffan.

B Adjektiv eller substantiv? Skriv orden i rätt form där de passar in.

glädje glad	

1 De kände en stor _____ när de vann matchen.

Vi känner oss mycket _____ idag.

stress stressad	

2 Jag känner mig ganska _____ 4 Nt _____ just nu.

Känner du mycket _____ inför provet?

hunger hungrig	

3 De kände sig väldigt _____ A efter springrundan.

Jag har ont i magen och känner ingen _____ .

oro orolig	

4 Det känns _____ 1 när barnen är ute själva och leker.

Många känner _____ över situationen i världen.

irritation irriterad	

5 Karl kände en stor _____ under mötet.

Förlåt, jag känner mig lite _____ idag.

5 Prepositioner

Skriv rätt preposition. Ibland kan flera alternativ vara rätt.

1 Erik läser en bok som handlar _____ en svensk familj som emigrerar till
      1

   Amerika _____ 1800-talet. Mamman i familjen planterar ett äppelträd som
            2

   blir en symbol _____ hemlandet. Deras dagar är fyllda _____ hårt arbete
                  3   4

   och mamman fantiserar ofta _____ livet i Sverige. Anledningen _____
                              5   6

   att de emigrerade var att de var så fattiga och hoppades _____ ett bättre liv
                                                             7

   i det nya landet.

2 Igår åt vi _____ en fantastisk restaurang mitt _____ stan. Måltiden bestod
             1   2

   _____ en massa små rätter. Ett exempel _____ vad vi åt var en variant
    3   4

   _____ köttbullar, men de var gjorda _____ älgfärs kryddad _____
    5   6   7

   timjan. En annan _____ rätterna var räkor _____ chili och lime. Vi drack
                    8   9

   ett jättegott öl _____ maten.
                    10

3 Min vän Lasse är skulptör. Just nu jobbar han _____ en skulptur av sin enorma
                                                1

   hund Rex _____ naturlig storlek. Lasse lever verkligen _____ sin konst
            2   3

   och han återkommer ofta _____ djurtemat. Den här skulpturen ska han döpa
                           4

   _____ Rex i rörelse. Lasse har frågat om jag kan ta hand _____ Rex nästa
    5   6

   helg. Jag kommer nog att säga nej eftersom jag är lite rädd _____ Rex.
                                                               7

Repetera

6 Subjunktioner

Skriv rätt subjunktion.

så att	att	medan	tills	genom att
även om	innan	förrän	utan att	
ifall	eftersom	för att	trots att	

1   Jag skulle vilja veta _____ du kommer på festen eller inte.

2   Vi börjar inte mötet _____ alla är här. *FÖRRÄN*

3   Det var mycket folk på stranden igår _____ det var så soligt och fint.

4   Igår satt vi ute och åt middag _____ det var kallt. *TROTS ATT*

5   Sophie repeterar verben _____ hon kan alla perfekt. *TILLS*

6   Jag springer ut och köper mjölk _____ potatisen kokar.

7   Vi måste åka till flygplatsen nu _____ vi inte missar flyget.

8   Du måste städa ditt rum _____ du går ut!

9   Amir lärde sig språket snabbt _____ bara prata svenska med folk.

10 Magdalena badar varje dag på somrarna _____ det är dåligt väder. *ÄVEN SOM*

11 Jag skriver till dig _____ berätta en sak. *FÖR ATT*

12 Karina gick rakt ut i gatan _____ tänka på vad hon gjorde.

13 Tycker du _____ filmen var intressant?

Kopiering av detta engångsmaterial är förbjuden enligt lag och gällande avtal.

KAPITEL 7 · **75**

7 Indirekt tal

Skriv om meningarna till indirekt tal. Exempel:

> *Pedro undrar vilken tid tåget går.*

1 Pedro: Vilken tid går tåget?

2 Ellen: Har de inte gjort läxan?

3 Rolf: Jag älskar min sambo.

4 Samira: Vem har skrivit det här mejlet?

5 Jack: Jag går aldrig på gym.

6 Laura: Vad hände på mötet?

7 Pavel: Varför ringer hon aldrig?

8 Greta: Hur många 16-åringar röker?

9 Samuele: Jag kan tyvärr inte komma på festen.

10 Nina: Jag har alltid drömt om att resa till Karibien.

8 Substantiv: obestämd eller bestämd form

Skriv substantiven inom parentes i rätt form.

1 – Jag är sen till _____ så jag tar _____ bilen Okej?
            (jobb)   (bil)

   – Absolut. Nycklarna ligger i _____: Kan jag låna din _____?
                              (kök)   (cykel)

   Jag är ju ledig men jag måste till _____ och hämta min _____
                                        (kontor)   (surfplatta)

   som jag glömde där.

2 – Snälla, kan inte du gå ut med _____? Jag har så ont i _____ ryggen.
                                     (hund)   (rygg)

   – Suck, idag igen? Du kanske ska gå till _____?
                                      (doktor)

   – Nej, det behövs inte. Om jag ligger här i _____ någon _____
                                          (soffa)   (timme)

   och tittar på _____ teve blir jag nog bättre snart.
                   (teve)

8

1 Tempus

Margareta har blivit smittad av pesten. Hon är mycket sjuk. Kanske kommer hon att dö.

före NU	NU	efter NU
– X ————————————	X ————————————	X ————————————▶
PRESENS PERFEKT	PRESENS	PRESENS FUTURUM
har blivit	*är*	*kommer att dö*

Presens perfekt har en relation till presens och visar att något redan
har hänt vid NU-punkten.

Presens futurum använder man när något händer efter NU-punkten.

Margareta hade blivit smittad av pesten. Hon var mycket sjuk. Kanske skulle hon dö.

före DÅ	DÅ	efter DÅ
– X ————————————	X ————————————	X ————————————▶
PRETERITUM PERFEKT	PRETERITUM	PRETERITUM FUTURUM
hade blivit	*var*	*skulle dö*

Preteritum perfekt har en relation till preteritum och visar att något redan
hade hänt vid DÅ-punkten.

Preteritum futurum använder man när man pratar om vad man planerade
att göra vid DÅ-punkten, eller vad man trodde skulle hända.
Presens (som futurum), *ska, kommer att* i NU → *skulle + infinitiv* i DÅ.

A Läs texten. Skriv om den till dåtid.

Karl XII krigar mycket. Han har vunnit många krig. Nu ska han invadera Ryssland. Han vill erövra hela Ryssland. Sverige ska bli ett ännu mäktigare land.

Ulf heter en av Karl XII:s soldater. Han är bonde och han har lämnat hela sin familj hemma på gården. Nu ska han kriga för Karl XII i Ryssland. Ulf har varit med i flera krig tillsammans med Karl. Han gillar inte krig. Det är fruktansvärt att se alla kamrater som dör. Han vet inte om han kommer att överleva detta krig.

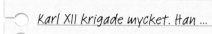
Karl XII krigade mycket. Han ...

B Vilket alternativ är rätt?

1 När Nina fick sitt körkort ... i ett år.

   a övade hon

   b hade hon övat

   c har hon övat

2 I torsdags kväll var Ove jättenervös, för han ... på jobbintervju nästa dag.

   a skulle gå

   b gick på

   c hade gått

3 Jag mår lite illa, för jag ... en stor pizza till lunch.

   a hade ätit

   b äter

   c har ätit

4 När vi joggade i skogen ... en stor älg!

   a har vi sett

   b såg vi

   c ska vi se

5 När Ali och Eva ... gifta i tio år, reste de till Maldiverna.

   a hade varit

   b var

   c skulle vara

6 Jag ... färdigt rapporten, så nu går jag hem.

   a skriver

   b skrev

   c har skrivit

7 När Sam kom till festen ...

   a har alla redan kommit.

   b hade alla redan kommit.

   c kom alla redan.

8 När vi ... märkte vi att vi hade glömt passen hemma.

   a ska checka in

   b skulle checka in

   c hade checkat in

Man kan också visa att något händer/hände före något annat genom att använda subjunktionen *innan*.
Då har man samma tempus i de olika satserna.

När jag har duschat klär jag på mig. = Jag duschar innan jag klär på mig./Innan jag klär på mig duschar jag.

 C Skriv om meningarna 1–5 med subjunktionen *innan*, så att de uttrycker samma sak som nu.

1 Erik läser tidningen när han har ätit frukost.

2 När Felicia hade städat lägenheten ringde farfar på dörren.

3 När Amir har repeterat alla verb lyssnar han på musik.

4 Telefonen ringde när Adriana hade satt på datorn.

5 Douglas tittar på teve när han har druckit kaffe.

Om man binder samman två eller flera satser med *när* och verben har samma tempus, betyder det att de olika sakerna händer samtidigt.

När jag pluggar lyssnar jag på musik. = Jag pluggar och lyssnar på musik samtidigt.
Jämför:
När jag har pluggat lyssnar jag på musik. = Först pluggar jag, sedan lyssnar jag på musik.
När jag pluggade lyssnade jag på musik. = Jag pluggade och lyssnade på musik samtidigt.
Jämför:
När jag hade pluggat lyssnade jag på musik. = Först pluggade jag, sedan lyssnade jag på musik.

 D Ändra meningarna 1–5 i övning C, så att de olika sakerna händer/hände samtidigt.

Kopiering av detta engångsmaterial är förbjuden enligt lag och gällande avtal.

KAPITEL 8 • **79**

2 Ordbildning: ord om religion

A Fyll i de ord som saknas. Använd ordbok eller sök på internet.

Religion/religiös riktning	Person	Adjektiv
katolicism	en katolik (-er)	katolsk
buddhism		
	en muslim (-er)	
		protestantisk
	en jude (-ar)/en judinna (-or)	
	en hindu (-er)	
		kristen

B Välj rätt ord ur tabellen ovan och skriv dem i rätt form där de passar in.

1 Drottning Kristinas pappa var _____, men Kristina blev

intresserad av _____.

2 Saras farmor var judinna, men hon levde inte efter _____

traditioner.

3 Björn har länge varit fascinerad av _____. Nu har han slutat

på sitt arbete i Sverige och ska flytta till Thailand och pröva att leva

som _____-munk.

4 Hinduismen är den största religionen i Indien och en klar majoritet

av indierna är _____.

5 Många svenskar gifter sig i kyrkan trots att de inte är _____.

6 Min bästa kompis är _____, så Ramadan är en fastemånad

för honom.

7 Under 1500-talet blev den svenska kyrkan _____. Tidigare

var den katolsk.

8 Den _____församlingen ska bygga en moské. Den kommer

att bli jättefin.

3 *Allt* + komparativ

> Allt fler människor börjar använda datorer.
> Folk får allt bättre ekonomi.
> Bankerna lånar ut allt mer pengar.

Allt + komparativ betyder ungefär "mer och mer" av någonting.
Man använder ofta konstruktionen i formellt språk. I ledigt språk
dubblerar man ibland komparativen:
*allt fler människor → fler och fler människor, allt bättre ekonomi → bättre
och bättre ekonomi, allt mer pengar → mer och mer pengar.*

Välj ord ur rutan och skriv dem i rätt form där de passar in.

få	gammal	dålig	kort	många	ovanlig	tjock	hög	stor

1 Många flyttar från landsbygden och städerna blir allt _____ .

2 De flesta ungdomar här vill utbilda sig och det är allt _____ som inte

   går gymnasiet.

3 Farmor börjar bli gammal och hör allt _____ . Jag måste skrika när

   jag pratar med henne.

4 Allt _____ barn får en egen smart mobil. Snart har väl förskolebarn

   egen mobil!

5 Han var lite nervös och viskade först, men talade sedan med allt

   _____ röst.

6 Svenskarna blir allt _____ . Nu är det många som blir över 100 år.

7 Det har blivit allt _____ att folk har kontanter på sig. De flesta

   betalar med kort numera.

8 Vår hund Laika blir allt _____ . Vi måste sluta ge henne hundgodis.

9 Hösten är här och dagarna blir allt _____ .

4 Tidsuttryck

	Då		Nu	Framtid		Varje
dag	i förrgår	igår	idag	imorgon	i övermorgon	på dagen/ dagarna
morgon	i måndags morse/ igår morse	i morse	nu på morgonen	imorgon bitti	(på) måndag/ tisdag morgon	på morgonen/ morgnarna
natt	i måndags natt/igår natt	i natt	i natt	i natt/imorgon natt	(på) måndag/ tisdag natt	på natten/ nätterna
veckodagar	förra måndagen/ tisdagen	i måndags/ tisdags på måndagen*		(på) måndag/ tisdag	nästa måndag/tisdag	på måndagar(na)/ tisdagar(na)
helg	förra helgen	i helgen	(nu) i helgen/ den här helgen	i helgen	nästa helg	på helgen/på helgerna
månad	förrförra månaden	förra månaden	den här månaden	nästa månad	nästnästa månad	varje månad
år	förrförra året	i fjol/förra året	i år	nästa år	nästnästa år	varje år
årstid	förra sommaren/ hösten/ vintern/ våren	i somras/ höstas/vintras/våras	i sommar/höst/ vinter/vår (den här sommaren/ hösten)	i sommar/ höst/vinter/ vår	nästa sommar/ höst/vinter/ vår	på sommaren/ somrarna, hösten/ höstarna, vintern/ vintrarna
högtid HO[I]MY WEEKEND	förra påsken/ julen/ midsommarafton/ nyårsafton	i påskas/ julas på midsommarafton/ nyårsafton	i påsk/jul på midsommarafton/ nyårsafton	i påsk/jul på midsommarafton/ nyårsafton	nästa påsk/ jul/midsommarafton/ nyårsafton	på påsken/ julen på midsommarafton/ nyårsafton

* i nyhetsspråk

– Jag har redan deklarerat.
– Det har inte jag gjort än.

– Bor du fortfarande i Örebro?
– Nej, jag bor inte där längre.

> **Tidsuttryck**
> *redan – inte än*
> *fortfarande – inte längre*

– Va, är du här? Jag trodde du skulle komma **om** tre dagar?

– Nej, jag kom **för** tre dagar **sedan**.

– Hur länge bodde du i Grekland?

– **I** tre år. Men nu har jag inte varit där **på** nästan 15 år.

Tidsprepositioner

Tidpunkt:

När (framtid)? → *om*

När (dåtid)? → *för ... sedan*

Tidsperiod:

Hur länge? → (i)

"Negativ tidsperiod" (en tidsperiod när något *inte* händer) → *på*

A Komplettera fraserna med något av tidsuttrycken.

1 – Titta på de här gamla fotona! När var vi på Korsika egentligen?

– Det var _____.
  (två år)

– Menar du _____ året? Jag trodde det var i fjol.

– Nej, det var _____. Jag minns det för jag hade
  (sommar)

precis köpt den här kameran.

2 – Har du _____ köpt dina julklappar?

– Nej, jag har inte gjort det _____.

3 – Studerar du _____ svenska?

– Nej, inte längre. Jag slutade _____.
  (höst)

4 – När träffade du Olof senast?

– Det var längesedan. Vi har inte setts _____ tre

månader. Men vi ska faktiskt ses _____.
  (lördag)

5 – Vi ska åka till Thailand _____.
  (jul)

– Åh, vad härligt! Vi var där _____. Nu sparar vi
  (sommar)

för att åka jorden runt. Inte nästa år utan _____.
  (år)

6 – Var var Mia _____? Vi brukar ju alltid
         (tisdag)

   träffas _____. På
         (tisdag)

   – Hon var sjuk. Men hon kommer _____.
                                    (tisdag)

7 – Vad hände igår _____? Du kom så sent till jobbet?
         (morgon)

   – Batteriet i min mobil hade laddat ur så jag försov mig.

   Imorgon _____ ska jag ta
         (morgon)

   tåget klockan sex, så då får jag verkligen inte försova mig!

B Skriv en liten text med så många tidsuttryck som möjligt.

5 Tidsuttryck: *varje, varannan, vartannat*

> Förut tränade jag varannan dag.
> Vartannat år brukar vi åka till min
> släkt i Kroatien.

Varje minut/timme/dag/vecka/år
Varannan + en-ord (*varannan dag/vecka/timme*)
Vartannat + ett-ord (*vartannat år/dygn*)
Var + tredje/fjärde/femte (ordningstal) + en-ord
Vart + tredje/fjärde/femte (ordningstal) + ett-ord

Skriv rätt tidsuttryck med hjälp av
siffran i parentes. Exempel:

Bussen går _var femte_____ (5) minut.

1 Olympiska spelen går _____ (2) år.

2 Jag hälsar på farfar _____ (14) dag.

3 I lucktexten är _____ (6) ord borttaget.

4 Det är fel på _____ (2) sida i boken. Jag blir galen!

5 Radiokanalen gör en lyssnarundersökning _____ (8) dygn.

6 Undersökningar visar att _____ (5) elev känner sig stressad.

7 Man repeterar grammatik i _____ (3) kapitel i boken.

8 _____ (2) vecka jobbar Alex natt.

6 Ordbildning: substantivsuffix

> Carl Philip tävlar i rally. Han har vunnit en tävling.
> Sebastian sjunger ofta tyska sånger. Han är en duktig sångare.
> Man brukar säga att en fri människa inte förstår hur mycket friheten är värd.
> Sverige är ett land med många vackra och intressanta landskap.
> Mormor brukade berätta mycket om sitt liv. Hennes berättelser var så intressanta!

-(n)ing, *-are*, *-het*, *-skap* och *-else* är alla suffix som bildar substantiv.

Ord på *-(n)ing* är alla en-ord och har plural *-ar*.
Ord på *-are* är alla en-ord och har ingen pluraländelse.
Ord på *-het* är alla en-ord och har plural på *-er* (*-het* gör adjektiv till substantiv).
Ord på *-skap* är en- eller ett-ord. En-orden har plural på *-er* och ett-orden har ingen pluraländelse.
Ord på *-else* är en- eller ett-ord och har plural på *-r*.

Om man bildar ord av ett partikelverb eller två ord, kommer partikeln eller det andra ordet först:
låna ut → *utlåning, köra bil* → *bilkörning.*

Bilda substantiv av orden här nedanför med hjälp av suffixen här ovanför. Ibland måste du ändra formen lite på grundordet. Exempel:

anställa — *anställning*
arbeta — *arbetare*

1 arbetslös	9 land	17 sann
2 beskriva	10 förbereda	18 skådespel
3 förändra	11 myndig	19 hända
4 fri	12 möjlig	20 trött
5 författa	13 vän	21 utbilda
6 globalisera	14 ensam	22 bestämma
7 hastig	15 regera	23 komma överens
8 jämställd	16 rösta om	24 envis

7 Prepositioner

A Skriv orden och fraserna i rutan under rätt preposition.

en tredjedel ... befolkningen   vara syster/bror ... ngn   stå ... centrum
... öppen gata   ägna sig ... ngn/ngt   vänta ... ngn/ngt PÅ
vara nöjd ... ngn/ngt   bli smittad ... ngn/ngt   vara släkt ... ngn/ngt MED
vara kopplad ... ngn/ngt   be någon ... ngn/ngt   brist ... ngt PÅ
resultatet ... omröstningen   vara påverkad ... ngn/ngt   ... slut
ta hand ... ngn/ngt   ... hemlighet   förr ... tiden
bli vald ... ngt   ... vintras   vara intresserad ... ngn/ngt AV
fundera ...   vara viktigt ... ngn/ngt   bestämma sig ... ngn/ngt FÖR
säga nej ... ngn/ngt   på grund ... ngn/ngt   vara trött/tröttna ... ngn/ngt PÅ
gifta sig ... kyrkan   informera ... ngt   finnas gott ... ngt OM

1 till

3 av

5 i

2 på

4 om

6 för

7 med

8 åt

B Välj ut 10–15 av fraserna här ovanför som du tycker är viktiga att kunna.
Skriv egna exempel med dem.

Repetera

8 Presens futurum

Ska eller *kommer att*? Skriv det alternativ som passar bäst.

1 – Du borde inte röka så mycket. Du _____ bli sjuk.

   – Ja, jag vet. Jag _____ sluta på lördag!

2 – Kommer du ihåg att vi _____ gå på fest på lördag?

   – Ja, just det. Tror du att det _____ bli roligt?

3 – Har du bestämt vad du _____ plugga på universitetet?

   – Ja, jag _____ läsa teknisk fysik. Det _____ bli

   tufft, men det är intressant.

4 – Tror du att det _____ bli en kall vinter i år?

   – Man vet aldrig. Vi _____ åka till Vietnam för att få sol och

   värme i alla fall.

   – Åh, grattis! Ni _____ få det fantastiskt där!

5 – Bensinpriset _____ gå upp nu när de höjer energiskatten.

   – Ja, det _____ bli för dyrt för oss att ha bil. Min sambo tycker

   att vi _____ sälja bilen.

6 – Nora, kom! Vi _____ packa dina saker för skolresan nu.

   – Okej, jag kommer. Jag _____ bara spela färdigt först.

1 Verb: *tycker, tänker, tror*

tycker om = gillar
tycker = har en åsikt/värdering/erfarenhet
tror (på) = tror att någon/något finns/är sant/har rätt
tror = vet inte säkert/har ingen erfarenhet
tänker (på) = fokuserar tankarna på någon/något
tänker (+ infinitiv) = planerar

A Skriv *tycker, tänker* eller *tror* i rätt form där de passar in.

1   – Vad sitter du och _____ på?
                                          1

   – Inget speciellt.

2   – Jo, det är klart att du gör. Alla _____ alltid på något.
                                                           2

   – Nej, faktiskt inte. (…)

   – Du är så tyst. Jag _____ att vi borde prata mer med varandra.
                                   3

   – Vad _____ du att vi ska prata om då?
              4

   – Tja, vi kan ju börja med att prata om vad du brukar _____ på.
                                                                              5

2   – Jag _____ att Per ser lite ledsen ut nuförtiden.
              1

   – Ja, jag håller med. Jag _____ att han är deprimerad.
                                        2

   – Oj då. _____ du att det beror på jobbet? Han verkar inte trivas
                   3

så bra.

   – Ja, kanske det. Jag _____ att han borde byta jobb.
                                   4

3 – Innan jag flyttade till Sverige _____ jag att man inte kunde
   ¹

   gå ut på vintern.

   – Nähä! Är det sant?

   – Javisst. Men nu _____ jag att vintrarna här är härliga!
   ²

   – Jag _____ också om vintrarna. Men nästa år _____
   ³   ⁴

   jag resa till Kuba i december.

   – Wow! Jag har aldrig varit där, men jag _____ att det är fantastiskt.
   ⁵

4 – Vad _____ du göra när du har sålt huset?
   ¹

   – Jag vet inte riktigt, men jag _____ att jag ska göra en skön resa.
   ²

   – Det låter bra, _____ jag!
   ³

5 – Jag har ont i huvudet och halsen och jag _____ att jag har feber.
   ¹

   – Oj då. Då _____ jag att du ska gå hem och lägga dig.
   ²

   – Ja, det är en bra idé. Jag _____ att jag stannar hemma imorgon.
   ³

B Skriv egna exempel med *tycker*, *tänker* och *tror*, minst 2 meningar
med varje verb.

2 Substantiv: bestämd form

> Skrönorna är korta och underhållande historier.
> Huvudpersonen är ofta ... Slutet brukar vara ...
> Hon jobbar i kassan i en mataffär.
> En kvinna flyttade med sin familj till ett nytt hus.
> Familjen hade en hund som brukade springa lös
> i trädgården.

> När något är en naturlig del av det man pratar om, eller när man naturligt kan associera till det, har substantivet normalt **bestämd form**.
>
> OBS! Om substantivet står efter possessivt pronomen eller genitiv, har det alltid **obestämd form**. *Vi bor i ett stort hus. Jag älskar vår trädgård.*

Välj ord ur rutan och skriv dem i rätt form där de passar in.

omklädningsrum	soffa	vatten	skåp
plånbok	bassäng	kläder	ficka
golv	kaffe	fot	mjölk
badbyxor	nyckel	kassa	

Igår gick jag till Bergshallen för att simma. När jag skulle betala inträde

i _____ upptäckte jag att jag inte hade tagit med mig min
　　　　1

_____, men som tur var hade jag en hundralapp
　　　2

i _____. Jag hade också glömt _____ hemma, så
　　3　　　　　　　　　　　　　　　　　　　　　4

jag fick hyra ett par. De var lite för stora.

Det var väldigt mycket folk i _____. Jag hittade ett ledigt
　　　　　　　　　　　　　　　　　5

skåp i alla fall och låste in mina _____ där. _____
　　　　　　　　　　　　　　　　6　　　　　　　　　　　7

till hänglåset la jag i innerfickan på badbyxorna.

När jag gick ut till simhallen ramlade jag, för _____ var
　　　　　　　　　　　　　　　　　　　　　　　8

jättehalt. Jag fick ganska ont i _____, men jag struntade i det.
　　　　　　　　　　　　　　　9

När jag skulle gå ner i bassängen fick jag en chock, _____ var
　　　　　　　　　　　　　　　　　　　　　　　10

iskallt! Men det kändes lite bättre när jag hade simmat en stund. Efter

ungefär en timme var jag kaffesugen och gick till kafeterian.

_____ var svagt och _____ var slut.
　　　11　　　　　　　　　　　　　　12

Till slut, när jag skulle byta om, kunde jag inte hitta nyckeln till mitt

_____ där jag hade kläderna. Jag gick till receptionen och
　　　13

frågade, och som tur var hade någon hittat nyckeln på botten av

_____. Det var jätteskönt att komma hem igen. Hela kvällen
　　　14

låg jag i _____ och tittade på teveserier.
　　　　　　15

3 Adjektiv: superlativ bestämd form

Nordens brantaste berg- och dalbana i trä ...
Sveriges längsta väg ...

Regelbundna **adjektiv** (som slutar på -ast i superlativ): -e på slutet.
Specialadjektiv (som slutar på -st i superlativ): -a på slutet.

En av de mest sedda svenska filmerna ...
En av Sveriges mest trafikerade vägar ...

Perfekt particip: mest + bestämd form av participet

Den mest fascinerande filmen ...

Presens particip: mest + presens particip (presens particip har alltid samma form)

Den mest fruktansvärda filmen ...
Den mest praktiska apparaten är ...

Långa adjektiv och adjektiv som slutar på -isk:
mest + bestämd form av adjektivet

Substantivet har obestämd form när det kommer ett possessivt pronomen eller genitiv före: *Kebnekaise är Sveriges högsta berg.*

Substantivet har bestämd form när det kommer en bestämd artikel före: *Kebnekaise är det högsta berget i Sverige.*

Skriv adjektivet och substantivet i rätt form.

1 Karin tycker att Silvia är Sveriges _____ .
   (vacker kvinna)

2 På Klubb Havanna spelar de den _____ , tycker jag.
   (bra musik)

3 – Vet du hur lång världens _____ är?
   (lång man)

4 Charlie är den _____ på kursen. Han har alla rätt

   på de _____ .
   (duktig elev)
   (många prov)

5 Filmtidningen har en lista över världens _____ .
   (dålig film)

6 Många tycker att den gamla Arkitekturskolan är Stockholms

   _____ .
        (ful byggnad)

7 Årets _____ är runt midsommar.
        (lång dag)

8 Christina tycker att kinesiska är det _____ i världen.
                                         (fascinerande språk)

9 – Är blodpudding den _____ man kan äta?
                        (billig mat)

4 Hjälpverb

Min fru tycker att det är ganska skönt att slippa gå ut tidigt på morgonen.

Nu hinner hon äta frukost i lugn och ro.

Den kan explodera om någon råkar sätta på mikron.

Kvinnan vågade inte berätta för grannfrun vad som hade hänt.

slipper = behöver inte
(någon annan/något annat
tar bort kravet/tvånget)
hinner = har tid
råkar = gör något omedvetet
/oplanerat/inte med vilja
vågar = är inte rädd att göra
något
vågar inte = kan/vill inte göra
något på grund av rädsla

Välj verb ur rutan och skriv dem i rätt form där de passar in.
Du kan använda verben flera gånger.

| vågar | råkar | hinner | slipper |

1 – Vet du vad jag har gjort? Jag _____ backa in i en stolpe med

   pappas bil. Bilen är helt förstörd nu. Jag _____ inte berätta det

   för honom. Han kommer att bli jättearg!

2 – Vår lärare är sjuk. Tror du att vi _____ skriva provet idag?

   – Jag hoppas det. Jag _____ kasta ett par viktiga papper, så jag

   är inte alls förberedd.

3 – _____ du hjälpa mig en liten stund?

   – Javisst. Vänta en minut bara.

4 – _____ du gå hem genom parken när det är mörkt?

– Ja, absolut. Det är inte alls farligt.

5 – Min sambo och jag har så mycket att göra. Vi _____ inte städa.

Det ser hemskt ut hemma hos oss nu!

– Varför skaffar ni inte städhjälp? Då _____ ni ju städa.

5 Verb: grupp 4

A Skriv imperativ, presens, preteritum och supinum av verben.

Imperativ	Infinitiv	Presens	Preteritum	Supinum
	be			
	dra			
	dölja			
	förlåta			
___	innehålla			
	komma			
	le			
	ljuga			
	låta			
	sitta			
___	___	ska		___
	slippa			
	smyga			
	sprida			
	sticka			
	sälja			
	undvika			

B Välj minst 10 av verben från övning A och skriv egna meningar med dem.
Eller skriv en liten historia som innehåller minst 10 av verben.

6 Ordbildning: motsatser, adjektiv och adverb

Ett vanligt prefix för att bilda motsatser av adjektiv och adverb är *o-* som
i t.ex. *trevlig – otrevlig.*

A Skriv motsatserna till adjektiven och adverben i rutan. Kontrollera
att du förstår orden.

medvetet	vanlig	van	sannolik	skyldig
möjlig	trevlig	ärlig	seriös	kontrollerat

B Skriv motsatsorden på rätt plats i meningarna här nedanför.

1 Jag vill inte göra affärer med den mannen. Han verkar vara _____.

2 Man ska inte alltid tro på det Maj berättar. Hon är _____ och ljuger

   ibland.

3 Jag tror att jag råkade kasta ett viktigt kvitto. Det var verkligen inte meningen,

   jag gjorde det helt _____.

4 Hunden försöker se _____ ut, men jag är säker på att det var

   han som åt upp alla köttbullar.

5 Historien som Magnus berättade var helt _____. Ingen

   människa kan tro på den.

6 Arne säger alltid precis vad han tycker. Han kan faktiskt vara ganska

   _____ mot andra.

7 Vad meningen med livet är? Den frågan är _____ att svara på,

   tycker jag. Har du något svar?

8 När Annika var ute i skogen för att plocka blåbär igår stötte hon på en stor

   björn. Hon fick panik och började skrika _____. Som tur var

   vände björnen och lufsade därifrån.

9 Felipe bor i Sverige nu. Han är _____ vid ljusa nätter, så han har

svårt att sova på sommaren.

10 Den här bilen är mycket _____ . Det finns bara ett tiotal exemplar

av den i Sverige.

7 Partikelverb

Välj partikelverb ur rutan och skriv dem i rätt form där de passar in.

sticker iväg	tar av sig	äter upp
hittar på	har inget emot	tar till
håller reda på	låter bli	stöter på

1 Min mormor har ett problem. Hon kan inte _____ sina

1

glasögon. Hon _____ dem och kommer sedan inte ihåg var

2

hon har lagt dem. Nu har hon _____ ett sätt att lösa problemet.

3

Varje gång hon lägger ifrån sig glasögonen säger hon till exempel högt till sig

själv: "Nu lägger jag mina glasögon på köksbordet." Då glömmer hon inte.

2 Christer är pappaledig nu. Hans problem är att han börjar bli tjock. Det beror på

att han inte kan kasta mat. När sonen äter blir det alltid mat kvar på tallriken.

Christer försöker _____ att _____ resterna,

1   2

men han kan inte. Christers sambo tycker att det är äckligt, men Christer

_____ att äta någon annans matrester.

3

3 Maria och Peter _____ en gammal vän när de var på semester i

1

Australien. De hade inte sett vännen på många år. Han _____ till

2

Australien efter en skandal på jobbet för tio år sedan. Han _____

3

en lögn för att komma ifrån allting, nämligen att han hade en nära släkting som

var mycket sjuk i Australien.

8 Ordkunskap: verb

Välj verb ur rutan och skriv dem i rätt form där de passar in.

sprider	påminner	ber	beundrar	gissar	leder
bevisar	upptäcker	undviker	avslöjar	skruvar	innehåller

1 – Tycker du att det är typiskt för svenskar att _____ konflikter?

   – Ja, kanske. När min sambo blir irriterad på mig sitter han mest och

   _____ på sig. Men han säger inget.

2 – Jag måste säga att jag _____ min mamma. Hon är så duktig

   och klarar allt själv.

   – Okej, men jag tycker inte att det är fel att _____ om hjälp

   när man behöver det.

3 – Du kan berätta allt för mig. Jag _____ aldrig en hemlighet.

   – Okej. _____ vad som hände i lördags!

   – I lördags? Ingen aning.

   – Jo, …

4 – Man brukar säga att Columbus _____ Amerika, men jag tror att

   vikingarna var där långt innan dess.

   – Jag har också hört det. Vet du om man har kunnat _____ det?

5 – Mmm, vilken god kaka! Den _____ om en kaka min farmor brukade

   baka.

   – Vad kul att du gillar den. Den _____ både kanel och kardemumma.

6 – Jag tycker inte om att folk _____ en massa osanna historier på nätet.

   – Inte jag heller. Det kan ju _____ till en massa problem för dem folk

   skriver om.

Repetera

9 Perfekt particip

Skriv rätt form av verben i parentes.

1 Min katt är _____. (försvinner)

2 Är teven _____? (stänger av)

3 Kläderna är _____ i Sverige. (syr)

4 Hotellrummet är _____ nu. (städar)

5 Jag tror att de här historierna är _____. (hittar på)

6 Bordet är _____ till klockan sju. (beställer)

7 Vi kände oss lite _____. (fryser)

8 Tycker du om _____ äpplen? (steker)

9 Jag blev _____ av en gammal kollega igår. (ringer upp)

10 Stenarna är _____ i ett vackert mönster. (lägger)

11 Hon blev _____ av polisen. (tar)

10 Relativa pronomen och adverb

Ringa in rätt alternativ.

1 Jag har en kompis *som/vars/vilken* mamma är sjökapten.

2 Esperanza är en restaurang *som/vilket/där* de serverar jättegod mat.

3 Sandhamn är en ö *dit/där/som* vi ofta åker på sommaren.

4 Brunos är ett kafé *dit/där/som* vi ofta går till efter kursen.

5 Nästa vecka har vi två tentor *som/vilket/vars* är lite stressande.

6 Vår granne, *vars/som/vilket* barn ofta leker hos oss, är jättetrevlig.

7 Det blåser hårt idag, *som/något som/där* är vanligt på ön *var/som/där* vi bor.

10

1 S-passiv

Man lägger på locket. → Locket läggs på.

Aktiva satser innehåller ett subjekt som är aktivt (som "gör" något).
I en passiv sats har man ett passivt subjekt (som inte "gör" något).
Objektet i en aktiv sats blir ett passivt subjekt i den passiva satsen.
Passiva satser är vanliga i instruktioner, nyhetsspråk och annonser.

Aktiv form		S-passiv
objekt	⟷	subjekt
verb	⟷	verb + s
man	⟷	—

	Infinitiv	Presens	Preteritum	Supinum
1	presenteras	presenteras	presenterades	presenterats
2a	byggas	byggs	byggdes	byggts
2b	sänkas	sänks	sänktes	sänkts
3	strös	strös	ströddes	strötts
4a -it	hållas	hålls	hölls	hållits
4b SPECIAL	göras	görs	gjordes	gjorts

För att bilda verb i s-passiv av den aktiva formen lägger man till ett -s
i infinitiv, preteritum och supinum.

I presens utgår man ifrån imperativ och lägger till -s: *måla! + s → målas,
stäng! + s → stängs, kör! + s → körs, köp! + s → köps, strö! + s → strös,
sjung! + s → sjungs.* Imperativ som slutar på -s: *läs! + es → läses.*

Det är bara huvudverbet som får -s i passiv form:
Man kan beställa biljetter på nätet. → Biljetter kan beställas på nätet.

Imperativ har ingen passiv form.

A Fyll i de former som saknas.

Verbgrupp	Infinitiv	Presens	Preteritum	Supinum
4a (-it)			dracks	
3				nåtts
2a	hängas			
4b (SPECIAL)		säljs		
1			målades	
2b				mötts
4a (-it)	skrivas			
2a		följs		
1			utvecklades	
4b (SPECIAL)				lagts
2b	lösas			
3		kläs		

B Skriv meningarna i passiv form.

1 Man fotograferade alla gäster.

2 Man gör den bästa resan i fantasin.

3 Igår hörde man ett larm på kontoret.

4 Hur bildar man s-passiv?

5 Man byggde huset i trä.

6 Man brukar tvätta handdukar i 60 grader.

7 Man spelade pjäsen i fyra veckor.

8 Man har sytt kläderna i Sverige.

C Skriv meningarna i aktiv form.

1 Hur ofta övades ordföljd på kursen?

2 Huset såldes på auktion.

3 Potatis serveras ofta till sill.

4 Lägenheten ska målas nästa vecka.

5 Satelliten har skjutits upp.

6 De här lagarna skrevs på 1500-talet.

7 Riven ost strös över gratängen.

8 Breven skrevs för hand.

D Stryk under alla verb i passiv form i receptet på semlor.

Semlor

1 En deg görs av vetemjöl, mjölk, ägg, socker och jäst.
2 Bullar formas.
3 De gräddas i ugnen.
4 Ett lock skärs.
5 Grädde vispas.
6 Bullarna fylls med mandelmassa och grädde.
7 Locket läggs på.
8 Florsocker strös över.
9 Semlorna äts med varm mjölk.

E Ändra meningarna från passiv till aktiv form. Exempel:

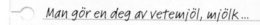

Man gör en deg av vetemjöl, mjölk...

F Ändra meningarna från övning D till imperativ. Exempel:

Gör en deg av vetemjöl, mjölk...

2 S-passiv med agent

Ett amerikanskt bolag startade det första rymdturistprojektet 1985. → Det första rymdturistprojektet startades 1985 av ett amerikanskt bolag.

Subjektet i en aktiv sats (inte *man*) kan användas som agent i den passiva satsen. Då visar man vem som gör/gjorde/har gjort något.
Familjen Ek köpte huset. → *Huset köptes av familjen Ek.*

Aktiv form		S-passiv
objekt	⟷	subjekt
verb	⟷	verb + s
man	⟷	—
subjekt	⟷	agent

 A Skriv meningarna i passiv form med agent. Exempel:

Många norrmän besöker Sverige.

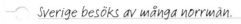

Sverige besöks av många norrmän.

1 Victoria ska inviga utställningen.

2 En trevlig servitör serverade maten.

3 En ung konstnär har målat tavlan.

4 Doktor Larsson opererade henne.

5 En mytoman har skrivit den här guideboken.

6 Vaktmästaren ska låsa kontoret.

7 Gustav II Adolf beställde regalskeppet Vasa.

B Skriv meningarna i aktiv form.

1 Museet besöktes av många turister.

2 Den här låten spelas av många radiokanaler.

3 Igår löstes problemet.

4 Hon söks av polisen.

5 Laxen ska grillas i ett par minuter.

6 Det här huset har ritats av min morbror.

7 När ska lägenheten renoveras?

8 Imorgon ska alla inbjudningar skickas ut.

C Välj en tidningsartikel och stryk under alla s-passiv du kan hitta.

3 Substantiv: bestämd och obestämd form

... för att få chansen att flyga runt jorden i en rymdfärja.
En amerikansk resebyrå tog emot intresseanmälningar för resor till månen.

När man talar om något som är känt eller bekant för den som lyssnar, använder man ofta bestämd form av substantivet. Man pratar om ett så kallat känt koncept, något man har gemensamt:
Solen skiner. Alla känner till att det finns en sol och därför har man bestämd form.

Man måste fundera på om det man pratar om är känt för den som lyssnar:
Gemensamt för alla människor på jorden: *solen, haven, rymden, luften, månen* etc.
Gemensamt för alla i Sverige: *kungen, riksdagen, regeringen* etc.
Gemensamt för alla som bor i en liten stad: *torget, parken* etc.
Gemensamt för alla som studerar på samma skola: *kafeterian, biblioteket* etc.

Om det inte är säkert att den som lyssnar känner till "konceptet", måste man kanske introducera det först:
Igår såg jag kungen. (Man pratar med en person som vet att Sverige har en kung.)
Sverige har en kung. (Man pratar med en person som inte vet att Sverige har en kung.)

I slutet på 1980-talet presenterades idén till ett rymdhotell av ett japanskt företag. Hotellet skulle byggas som ett stort hjul för att skapa konstgjord gravitation för gästerna.

När det inte är första gången man pratar om något har substantivet bestämd form:
ett rymdhotell → hotellet.

När något är en naturlig del av det man pratar om, eller när man naturligt kan associera till det, har substantivet normalt bestämd form:
ett hotell → gästerna.

Dennis Tito är multimiljonär.
Dennis Tito är en amerikansk multimiljonär.
Multimiljonären Dennis Tito blev den förste
betalande rymdturisten ...
Einstein var ett geni.

Yrke, egenskap, religion, politisk åskådning, nationalitet och
andra beskrivande egenskaper står i obestämd form utan artikel
efter verb:
Anna Andersson är uppfinnare.

Om det kommer ett adjektiv före har man obestämd artikel:
Anna Andersson är en skicklig uppfinnare.

Om yrke, egenskap etc. kommer före namnet står det i bestämd
form:
Uppfinnaren Anna Andersson har lanserat en ny produkt.

Om en titel kommer före namnet står det i obestämd form:
Professor Ek

Vid värderande substantiv *(idiot, geni, dumhuvud etc.)* används
artikel:
Anna Andersson är ett ljushuvud.

A Ringa in rätt alternativ.

1 Karins man Samuele är *italienare/en italienare*. Han är *en berömd
matematiker/berömd matematiker* och nu är han *en professor/professor*
på *en kunglig teknisk högskola/Kungliga Tekniska högskolan* i Stockholm.
Samuele älskar sitt *jobb/jobbet*.

2 Ossian och Alma är *syskon/syskonen* och de bråkar ofta. Alma brukar säga
att Ossian är *idiot/en idiot*. När de sitter hemma i *köket/ett kök* och ska äta vill
ingen äta upp *mat/maten*. Och de vill inte dricka upp *mjölk/mjölken* heller.
Barnens *föräldrar/föräldrarna* blir lite trötta på sina *barn/barnen* ibland.

B Välj substantiv ur rutan och skriv dem i rätt form där de passar in.

en taxi	en fest	en lägenhet
(en) mat	en prinsessa	en kung
en måne	en natt	en fråga
en astronaut	en sko	en sångare
ett slott	en gäst	ett tal
en orkester	en chaufför	en kungafamilj
ett inbjudningskort	en fot	ett rymdprojekt

Mitt bästa minne

Min pojkvän Ingvar är _____, och han hade precis kommit tillbaka
                                    1

från en rymdresa. Han hade varit på _____! När han kom tillbaka
                                                  2

ville många fira honom, bl.a. _____. Vi blev bjudna till en stor
                                          3

_____ på Drottningholms _____. _____ var
          4   5   6

format som en rymdraket och där stod det att man ville fira det lyckade, svenska

_____.
          7

   Festen var fantastisk! Hela _____ var där. _____ var
                                          8   9

finklädda och _____ som serverades var jättegod. _____
                        10   11

Estelle sjöng en sång under middagen och kungen höll tal. I _____
                                                                          12

pratade han mycket om Ingvar. Efter middagen var det dans. _____ som
                                                                      13

spelade var riktigt bra och _____ hade en fantastisk röst! Klockan tre
                                      14

på _____ var vi jättetrötta och tog _____ hem.
            15   16

   När _____ hörde att vi hade varit på slottet ställde han en massa
            17

_____. Han ville veta precis allt! Det var skönt att komma hem till
          18

vår _____ igen och att få ta av sig _____. Jag hade
            19   20

jätteont i _____ efter att ha dansat i högklackat.
                  21

   Innan vi somnade frågade Ingvar om jag ville följa på hans nästa rymdresa.

Så klart jag vill!

4 Ordbildning: adjektiv till substantiv

 hållbar → hållbarhet

A Gör substantiv av orden i rutan och skriv dem i rätt form där de passar in.

medveten   sevärd   snål   uthållig   pålitlig   god   självklar

1 Enrique söker på nätet efter tips på olika _____

   i Göteborg.

2 Det borde vara en _____ att man inte kastar skräp

   i naturen.

3 Om du ska springa maraton i sommar måste du börja träna

   _____ nu.

4 När barnen blir äldre ökar deras språkliga _____.

5 Det är inte av _____ som vi campar på semestern.

   Vi tycker mer om att bo ute i naturen än på hotell.

6 Tror du på alla människors _____, eller tror du att det

   finns onda personer också?

7 Polishunden Zippo är känd för sin _____. Han gör alltid

   det han är tränad att göra.

B Skriv egna meningar med adjektiven och substantiven från A.

5 Verb: grupp 2

Verbgrupp	Imperativ	Infinitiv	Presens	Preteritum	Supinum
2a	fyll!	fylla	fyller	fyllde	fyllt
2b	tänk!	tänka	tänker	tänkte	tänkt
2a HALVSPECIAL	kör!	köra	kör	körde	kört

2a HALVSPECIAL: imperativ = presens

A Skriv verbgrupp och verbens alla former.

Verbgrupp	Imperativ	Infinitiv	Presens	Preteritum	Supinum
			upplever		
	inför!				
			byter		
	förbered!				
			växer		
	följ!				
			använder		
	släpp!				
			erkänner*		
	res!				
			påminner*		
	bygg!				
			glömmer*		
	stek!				
	–		händer		
	jämför!				

*Bara ett *n* före *d* och *t*.

B Skriv egna exempel med verben från A, eller skriv korta historier där verben ingår.

Repetera

6 Tempus

Skriv verben inom parentes i rätt form/tempus. Ibland kan olika alternativ vara möjliga.

I vintras _____ vi till fjällen för första gången. Barnen _____
  1 (resa)   2 (åka)

skidor ett par gånger tidigare, men det _____ i den lilla skidbacken
                                            3 (vara)

som _____ utanför vårt bostadsområde.
        4 (ligga)

Vi _____ packa väskorna dagen innan. Det _____ en massa
     5 (börja)   6 (vara)

saker som _____ med; skidor, stavar, hjälmar och alla kläder förstås.
              7 (ska)

På morgonen, när vi _____ , _____ vi en stor frukost.
                        8 (åka)   9 (äta)

Vi _____ upp tidigt, så alla _____ väldigt trötta. Barnen
     10 (gå)   11 (vara)

_____ i soffan medan vi _____ in allt i bilen.
  12 (halvsova)   13 (packa)

Klockan tio _____ vi äntligen börja vår resa norrut.
                14 (kunna)

Det _____ en lång resa, så vi _____ med oss några
     15 (bli)   16 (ta)

smörgåsar och dricka.

När vi _____ i en timme _____ första frågan från baksätet:
         17 (köra)   18 (komma)

"När _____ vi framme?" Jag _____ att
        19 (vara)   20 (svara)

det _____ ungefär åtta timmar till. Efter ytterligare en timme
     21 (ta)

_____ barnen att de _____ hungriga och _____
  22 (säga)   23 (vara)   24 (vilja)

äta på någon hamburgerrestaurang. De _____ upp smörgåsarna
                                          25 (äta)

redan! Vi _____ efter ett tag och _____ hamburgare.
              26 (stanna)   27 (äta)

Jag _____ inte speciellt hungrig eftersom jag _____ så
     28 (vara)   29 (äta)

mycket till frukost.

Efter lunchstoppet, när vi just _____ iväg hörde vi vår yngsta
30 (komma)

dotter: "Jag måste _____ på toa!" Suck! Efter många, långa timmar
31 (gå)

_____ vi fram i alla fall. Vi _____ en underbar vecka
32 (komma)   33 (ha)

i fjällen. Solen _____ och det _____ fint i backarna.
34 (skina)   35 (vara)

Kvällen innan vi _____ hem _____ min fru och jag
36 (resa)   37 (diskutera)

bilresan hem. Resan upp _____ en mardröm, så nu _____
38 (vara)   39 (bestämma)

vi oss för att _____ hem på natten istället. Vi hoppades att barnen
40 (resa)

_____ hela hemresan.
41 (sova)

7 Tidsuttryck

A Välj rätt alternativ.

1 … var vi i Italien.
   a På sommaren
   b I somras

2 Vilken tid brukar du vakna …?
   a på morgonen
   b i morse

3 … har jag ett viktigt möte.
   a Imorgon bitti
   b I morse

4 Vad ska ni göra …?
   a i påsk
   b i påskas

5 … rånades en bank i city.
   a På måndag
   b På måndagen

6 Jag har jobbat hårt …
   a förra månaden
   b den här månaden

7 Brukar ni vara hemma …?
   a på julen
   b i jul

8 De spelar alltid squash …
   a på fredag
   b på fredagar

B Ringa in rätt alternativ.

1 – Är du *redan/fortfarande* klar med rapporten?

– Nej, inte *längre/än*.

2 – Mats jobbar inte här *längre/än*.

– Jaså, har han *redan/fortfarande* slutat?

3 – Mamma, jag vill inte träna fotboll *fortfarande/längre*.

– Men, du kan inte sluta *redan/längre*. Ni har ju en viktig cup nästa månad.

4 – Sitter du *fortfarande/längre* och pluggar? Klockan är nio!

– Ja, jag är inte färdig *redan/än*.

C Skriv rätt tidsuttryck med hjälp av siffran i parentes. Exempel:

Siri tittar på klockan _var tionde_____ (10) minut.

1 Bussen går _____ (2) timme på natten.

2 Bokklubben träffas ungefär _____ (6) vecka.

3 Sommar-OS går _____ (4) år.

4 Ungefär _____ (3) svensk har sömnproblem.

5 De borde ha strukit _____ (2) kapitel i boken. Den är

alldeles för lång.

6 Molly tittar på mobilen _____ (5) minut.

11

1 Pronomen: personliga, possessiva och reflexiva possessiva

Subjekt	Objekt	Reflexiva	Possessiva	Reflexiva possessiva
jag	mig*	mig*	min/mitt/mina	
du	dig*	dig*	din/ditt/dina	
han	honom	sig	hans	sin/sitt/sina
hon	henne	sig	hennes	sin/sitt/sina
man	en	sig	ens	sin/sitt/sina
den/det	den/det	sig	dess	sin/sitt/sina
vi	oss	oss	vår/vårt/våra	
ni	er	er	er/ert/era	
de**	dem**	sig	deras	sin/sitt/sina

* I informella texter skriver man ibland *mej* och *dej*.
** I informella texter skriver man ibland *dom* för både *de* och *dem*.

Välj pronomen och skriv dem i rätt form där de passar in.
Ibland är olika alternativ möjliga.

1 **Isak sitter och funderar på sitt liv**

– När man känner _____ lite ensam och olycklig blir _____ glad om
_____1_____2

_____ mamma eller pappa ringer till _____. Det känns bra att veta att
_____3_____4

någon tänker på _____.
_____5

Man försöker hålla kontakten med _____ vänner, men det är inte alltid
_____6

så lätt. _____ vänner är så väldigt upptagna att de inte har tid med
_____7

_____. Men _____ ska väl inte oroa _____ så mycket.
___8_____9_____10

_____ liv är ju ganska bra ändå.
___11

2 Sven och Lena sitter och planerar helgen

– På fredag kväll kan vi åka till _____ stuga på landet. Där kan _____

1   2

bara lata _____ på fredag kväll. Sedan kan vi höra med Anki om

3

_____ vill vill komma över med _____ nya sambo och äta middag

4   5

med _____ på lördag. _____ kan sova över i _____ gästrum.

6   7   8

3 Cecilia skriver ett mejl till sina föräldrar

Hej mamma och pappa,

Hur mår _____? Vad kul det ska bli att resa tillsammans i sommar! Har ni

1

tittat på länken som jag skickade till _____ förra veckan? Där finns en

2

massa fina semesterhus man kan hyra i Italien. Jag pratade med Kicki igår. Hon

vill gärna att _____ pojkvän följer med också. Går det bra? Kicki är alltid

3

tillsammans med _____. Hon kan nog inte klara _____ två veckor

4   5

utan _____ älskling.

6

/kram Cecilia

4 Ludvig ska börja läsa spanska och sitter och läser om studieteknik

När man ska lära _____ ett nytt språk måste _____ tänka på många

1   2

saker. Det tar lång tid, så _____ måste ha tålamod. _____ bör plugga

3   4

en stund varje dag i stället för många timmar en dag.

Man kan be _____ föräldrar eller kompisar om hjälp. De kan till

5

exempel fråga _____ om nya ord. När _____ berättar för andra

6   7

aktiveras _____ hjärna och _____ minns bättre sedan.

8   9

Lycka till med studierna!

2 Verb: *är/blir* + perfekt particip

Chefen är bortrest på semester.
13 av kollegerna blev förgiftade och
måste uppsöka sjukhus.

är + perfekt particip har fokus på ett tillstånd
eller resultat.
blir + perfekt particip har fokus på en
händelse eller förändring.
blir + perfekt particip kan oftast bytas ut
mot s-passiv: *13 av kollegerna förgiftades
och måste uppsöka sjukhus.*

A *Är* eller *blir*? Skriv verben i rätt form där de passar in.

1 Tavlan i sovrummet _____ målad av en kusin till mig.

2 Igår _____ jag stoppad av polisen. Mitt cykellyse var trasigt.

3 _____ teven reparerad nu?

4 Kajsa _____ överraskad när hon fick blommorna.

5 Alla tror att mannen kommer att _____ dömd till fängelse för rånet.

6 Vår chef har _____ mycket irriterad hela veckan. Vet du varför?

7 Vi skulle gå på bio igår, men alla biljetter _____ slutsålda.

8 När jag kom tillbaka till hotellrummet i eftermiddags _____ det
   fortfarande inte städat.

9 Huset _____ ommålat förra året.

10 Den här restaurangen _____ känd för sina fantastiska fiskrätter.

B Byt alla s-passiv i texten till *bli* + perfekt particip. Exempel:

En värdefull tavla blev stulen från Nya museet igår.

En värdefull tavla stals från Nya museet igår. En tjuv hade gömt sig inne i museet
innan stängning. Han upptäcktes av en museivakt. Ett slagsmål startade. Flera
konstverk förstördes och en glasskulptur krossades. Vakten låstes in i ett litet
rum. Han släpptes ut av en kollega några timmare senare. En misstänkt man
stoppades av polisen på kvällen. Mannen förhördes under kvällen och senare
häktades han. Om han är skyldig kan han dömas till ett långt fängelsestraff.

3 Verb med -s

Bilen stals igår kväll.

s-passiv

Två ungdomsgäng träffas ute på stan.
(= De träffar varandra.)
De två börjar slåss. (= De slår varandra.)

Reciproka verb måste ha subjekt i plural eller två olika subjekt men de har inte objekt. De är intransitiva.

Knutte blöder kraftigt och slutar andas.
… att hon inte minns något av händelsen.

Deponensverb slutar alltid på -s men s:et betyder ingenting.

Akta dig för hunden. Den bet mig igår. Den bits ofta.
Vi har problem med lille Putte på dagis. Putte slog Olof igår. Han slåss ofta.
Lasse-Maja lurade många människor. Han var duktig på att luras.

Intransitiva verb med -s
En del verb som beskriver en aktiv handling (t.ex. *bita, lura, reta, slå*) kan med -s bli intransitiva.

A Titta på de understrukna verben i meningarna här nedanför.
Är de deponens, reciproka eller s-passiv?

1 – Jag <u>hoppas</u> att det går bra på provet imorgon. Just nu är jag lite nervös, jag <u>minns</u> nämligen ingenting.

2 Frågan om parkeringsplatser för personalen <u>diskuterades</u> länge på mötet.

3 – Hej då! Vi <u>hörs</u> imorgon.

4 Oscar och Maria <u>kramades</u> länge på tågstationen innan tåget gick.

5 – Jag måste ringa min morbror och fråga hur han mår. Han <u>opererades</u> i måndags.

6 – Min sambo och jag <u>träffades</u> första gången på en resa till Indien.

7 – Usch, jag åt ett ostron som var dåligt. Jag har <u>kräkts</u> hela natten.

8 – Vårt fritidshus måste <u>målas</u> om i sommar. Fy, vad jobbigt!

B Skriv de understrukna verben från övning A på rätt plats i uppställningen här nedanför. Skriv också de andra formerna av verben.

Deponens

Infinitiv	Presens	Preteritum	Supinum
hoppas	_hoppas_	_hoppades_	_hoppats_

Reciproka verb

Infinitiv	Presens	Preteritum	Supinum

S-passiv

Infinitiv	Presens	Preteritum	Supinum

C Välj verb ur rutan och skriv dem i rätt form med eller utan -s där de passar in.

slår	sparkar	skiljer	biter	slår	skrämmer	träffar

1 Gå inte för nära hästen. Den är elak och _____ .

Och en gång _____ den mig i armen. Jag fick ett stort märke efter tänderna.

2 Igår _____ jag en gammal kompis från skoltiden. Hon berättade att hon och hennes man ska _____ . Tråkigt!

3 En gång försökte min lillasyster ＿＿＿＿＿＿ mig med en stor, äcklig

spindel. Jag blev så arg att jag ＿＿＿＿＿＿ henne hårt i magen.

Vi ＿＿＿＿＿ ofta när vi var små.

D Skriv en liten historia där du använder så många som möjligt av
deponensverben i rutan här nedanför.

fattas	låtsas	umgås	misslyckas	trivs
finns	skäms	lyckas	svettas	kräks

4 Tempus: konditionalis

Om jag vann 100 000 kronor skulle jag resa jorden runt.
= Vann jag 100 000 skulle jag resa jorden runt.

Konditionalis 1 (nu)

Om jag hade gift mig med Carlos skulle jag ha flyttat till
Spanien.
= Hade jag gift mig med Carlos skulle jag ha flyttat till
Spanien.

Konditionalis 2
(konstatera efteråt)

A Skriv fortsättning på meningarna.

1 Om jag hade …

2 Om jag kunde …

3 Om jag fick …

4 Om alla människor …

5 Om jag inte hade börjat läsa svenska …

6 Om det hade varit 30 grader varmt idag …

7 Om jag inte hade gjort den här övningen …

B Gör egna meningar med konditionalis.

5 Ordkunskap: verb

Välj verb ur rutan och skriv dem i rätt form där de passar in.

snattar	skattefuskar	rånar	stjäl
misshandlar	smugglar	förfalskar	langar

1 Igår grep polisen två tjuvar utanför ett stort varuhus i city. Tjuvarna hade

_____ ett femtiotal exklusiva klockor.

2 En äldre man stoppades i tullen igår. Han försökte _____ in

en mindre mängd cannabis.

3 Polisen gjorde kontroller utanför Systembolaget i fredags. De ville kontrollera

att ingen _____ alkohol till ungdomar under 20 år.

4 Två maskerade män _____ banken på Lilltorget i förmiddags.

De försvann från platsen med en miljon i kontanter.

5 Ett ungdomsgäng _____ en ensam man på Prinsgatan natten till

lördagen. Mannen fördes till sjukhus med svåra skador.

6 Allt färre svenskar _____ när de deklarerar. Statens skatte-

inkomster har ökat med 18 % det senaste året.

7 Två småflickor upptäcktes av en kassörska när de försökte _____

var sin chokladkaka.

8 Polisen misstänker att en grupp pensionärer har försökt _____

tusenkronorssedlar. Hos en av pensionärerna hittade man en mycket avancerad

kopieringsmaskin.

6 Partikelverb

Välj partikelverb ur rutan och skriv dem i rätt form där de passar in.

skriva ner	söka upp	lägga i	passa på	bryta sig in
låna ut	åka fast	finns kvar	dra vidare	släppa in

Henrik ser i tidningen att en gammal kompis, Simon, har blivit filmregissör

i Hollywood. Henrik har alltid drömt om att skriva filmmanus, så nu tänker han

_____ sin gamla kompis. Han kanske ska _____ nu när
     1   2

det är filmfestival i stan. Då kommer säkert Simon att vara där. Tänk om han kunde

få diskutera sina planer med Simon! Han ska _____ några olika
                                      3

idéer och ta med sig dem.

    Henrik jobbar hårt hela veckan. Han behöver en bil för att ta sig till stan. Han

frågar sin mamma om hon kan _____ sin bil. Henrik kör som en dåre
                                 4

för att hinna. Han hoppas att han inte ska _____ i en poliskontroll.
                                    5

När han kommer fram hittar han en parkeringsplats direkt. Han _____
                                                 6

pengar i automaten och springer till hotellet där stjärnorna bor. Utanför hotellet

står en stor vakt som inte vill _____ Henrik.
                                   7

    Han ber vakten: "Snälla, jag måste få tala med Simon Hallström. Det är viktigt."

Vakten tittar på honom och säger: "Tyvärr. Simon Hallström har redan

_____ till nästa filmfestival. Till Cannes, tror jag." "Det är kört", tänker
         8

Henrik. Han går tillbaka till bilen och där väntar en otrevlig överraskning. Någon

har _____ i bilen och tagit allt som fanns där: dator, väska, stereo …
         9

Ingenting _____ . Vilken dålig dag!
           10

Repetera

7 Verb: *tycker, tänker, tror*

Skriv *tycker*, *tänker* eller *tror* i rätt form där de passar in.

1   Ullis sitter på jobbet och _____ på sin katt, Majlis. Hon _____

            1   2

köpa någon riktigt god mat till henne efter jobbet. Hon _____ att

                                                       3

Majlis kommer att bli glad. Majlis _____ om mat.

                                     4

2   Sonja är fyra och _____ fortfarande på tomten. Hennes kusin Miriam

                      1

_____ att hon är barnslig. Hon vet att tomten inte finns. Men hon

        2

_____ mycket på vad hon ska önska sig av honom.

        3

3   Innan jag flyttade till Luleå _____ jag att vintrarna var jätte-

                                        1

deprimerande där. Men nu _____ jag inte det. Det är så mycket snö

                                  2

och den lyser verkligen upp de långa nätterna. Men i vinter _____ jag

                                                                       3

ändå åka på en solresa till Kanarieöarna.

8 Substantiv: bestämd och obestämd form

Välj ord ur rutan och skriv dem i rätt form där de passar in.

fråga	kollega	meny	restaurang
inredning	kväll	personal	

I fredags var jag på _____ där jag inte varit förut. Det var jag och mina

                          1

_____ som skulle fira en lyckad arbetsvecka. _____ var

        2   3

jättetrevlig och svarade bra på alla våra _____ . _____ var

                                               4   5

modern och elegant. När vi fick _____ blev vi glada. Allt såg jättegott

                                      6

ut. Och det var det också! _____ var härlig.

                            7

9 Adjektiv: superlativ bestämd form

Skriv adjektivet och substantivet i rätt form.

1 – Vilket år var den _____ (varm sommar) i Sverige?

2 – Vilken är den _____ (låg temperatur) som man har

mätt upp i Sverige?

3 – Vilken är den _____ (kort dag) på året?

Och den _____ (lång natt)?

4 – Vad heter Sveriges _____ (stor sjö)?

5 – Vilket är ditt _____ (dålig köp) någonsin?

6 – Vem är världens _____ (rolig komiker)?

7 – Vilken är den _____ (god maträtt) på den här

restaurangen?

8 – Var ligger världens _____ (vacker plats)?

9 – Vilken är den _____ (viktig uppfinning) i historien?

10 – Vilket är ditt _____ (bra semesterminne)?

12

1 Satsadverb: *nog, väl, ju*

> Jag kommer nog inte att trivas.
> Då är du väl glad?
> Du har ju irriterat dig på hennes gnäll länge.

Nog betyder att den som talar är nästan säker. Synonymer till *nog* är *troligtvis, förmodligen, antagligen* och *sannolikt*.

Väl gör ett påstående till en retorisk fråga. Den som talar är nästan säker på svaret.

Jämför:
Kommer du från Peru? (öppen fråga, den som frågar vet inte)/
Du kommer väl från Peru? (den som frågar är nästan säker).

I talspråk använder man ibland *va* på slutet istället:
Du kommer från Peru, va?

Väl använder man också när man hoppas på något, eller vill att den andra håller med:
Du kommer väl på festen?/Den här tavlan är väl fin?

Ju ger en signal om att något är, eller borde vara, känt av lyssnaren eller självklart.

Nog, väl, ju är obetonade som satsadverb. Om man betonar *nog* och *väl* får de en annan betydelse:
Det är nog nu! = Nu räcker det!
Arbeta degen väl. (i ett recept) = Arbeta degen ordentligt.

Väl används också som prefix: *Maja är välklädd.* = har fina kläder

---

A Sätt in *ju* där det passar i följande dialoger.

1 – Har du lust att gå på teater på
   fredag?

   – Men, då ska vi på fest.

   – Ja, just det! Det hade jag glömt.

   – Du glömmer allt!

2 – Varför firar alla på gatorna?

   – Vi har vunnit hockey-VM.

   – Jaha. Det visste jag inte.

   – Du lever helt i din egen värld!

3 – Pappa, varför måste man borsta tänderna?

– Men, det har vi pratat om så många gånger!

– Ja, men jag har glömt …

– Man kan få hål i tänderna om man inte borstar dem.

4 – Varför har du köpt tårta?

– Mamma fyller år i morgon.

– Oj då. Det hade jag glömt!

– Men jag påminde dig igår. Hur kunde du glömma det?

B Gör om till fraser med *nog* eller *väl*. Exempel:

Jag tror att han kommer.

Han kommer nog.

1 Jag hoppas att du kommer på middagen i morgon.

2 Jag tror att det blir regn i morgon.

3 Jag hoppas att du inte är arg på mig.

4 Peter är ganska duktig på att segla, va?

5 Annette har lagat en god middag, tror jag.

6 Troligtvis blir det ganska jobbigt att simma 3 kilometer.

7 Jag är ganska säker på att du aldrig har dansat samba.

8 Du är längre än mig, tror jag.*

9 Jag hoppas att du hälsar på oss på landet.

10 Det här var det jobbigaste loppet som jag har sprungit, tror jag.

* Många tycker att det är mer korrekt att säga så här: *Du är längre än jag, tror jag.*
Men språkvetare säger att båda fraserna är korrekta.

2 Tempus: presens perfekt för framtid

Vi får se hur det blir när vi har flyttat dit.
När han har gjort det ska han paddla kajak …

I temporala bisatser använder vi presens perfekt för en handling som kommer att vara avslutad vid en specifik punkt i framtiden.

A I vilka fraser används presens perfekt för framtid (efter NU)?

1 Jag har aldrig hoppat fallskärm.

2 När jag har gått i pension ska jag hoppa fallskärm.

3 Innan vi har lärt oss simma bättre kan vi inte vara med i Vansbrosimmet.

4 När jag har studerat thai i ett år hoppas jag att jag klarar mig ganska bra.

5 Petra har varit i Thailand många gånger.

6 Ulf har simmat Vansbrosimmet tre gånger.

7 Efter att vi har simmat, ska vi bada bastu.

8 När Petra har hoppat bungy jump ska hon dricka champagne för att fira.

9 Du får inte slappna av förrän du har kommit i mål.

B Skriv egna meningar med presens perfekt som futurum.
Börja med de här subjunktionerna.

> När jag har ...   Innan jag har ...   Efter att jag har ...

3 Frågeord + *som helst*

... där man när som helst kan bli gripen av polisen.
... en perfekt plats där vem som helst kan skriva
vad som helst.
... man tycker att man kan bete sig hur som helst.

Frågeord + *som helst* betyder
ungefär "det spelar ingen roll
vem/vad/vilken etc." eller "man
vet inte *vem/vad/vilken* etc".

A Välj ord ur rutan och skriv dem där de passar in.

> vad   när   vem   hur   vart   vilka   var   vilken

1 – Var skulle du vilja bo?

– Jag skulle kunna bo _____ som helst!

2 – Det är inte sant?!

– Du kan fråga _____ som helst om du inte tror mig.

3 – Ska jag ha de här skorna ikväll?

– Du kan ta _____ som helst, tycker jag.

4 – Vad var det vi pratade om?

– Hmm, jag kommer inte ihåg. _____ som helst, den där filmen …

5 – Kan jag ringa dig ikväll?

– Javisst. Du kan ringa _____ som helst.

6 – Ska vi ta femtifyran?

– Vi kan ta _____ buss som helst.

7 – Visst är filmen spännande?

– Ja, verkligen! _____ som helst kan ju hända!

8 – Ska vi resa utomlands i sommar?

– Gärna! Jag kan åka _____ som helst.

 B Skriv egna exempel med *vad, när, vem, hur, vart, vilka, var, vilken + som helst*.

4 Jämförelser

Att flytta till ett nytt land med annorlunda kultur än den man är van
vid …
… man gör på olika sätt i olika länder.

Annorlunda används ofta för att skilja något från något annat eller alla
andra.

Olik/olikt/olika används ofta när man jämför två eller flera saker med var-
andra. Det kan också vara något som är ovanligt för en person:
Det är olikt honom att säga så. = Så brukar han inte …

Jämför:
Pelle har annorlunda kläder. = Han klär sig inte på samma sätt som andra.
Pelle har olika kläder varje dag. = Han har inte på sig samma kläder.
Anna och jag är olika, trots att vi är tvillingar. = Vi är inte lika varandra.
Anna är lite annorlunda. = Anna är inte som andra.

Jag är ganska lik min syster./Vi är ganska lika./Vi liknar varandra.
Men jag är inte lika lång som hon.
Vi pratar på liknande sätt.
Vi har likadana väskor.
Vi har samma färg på ögonen.

Lik/likt/lika = som på många sätt ser ut eller är som den man jämför med
(motsats till *olik/olikt/olika*).
Lika används också framför adjektiv eller adverb vid jämförelser:
Villan är lika dyr som lägenheten./De springer lika snabbt.

Likna = verb som betyder ungefär "är lika någon/något".
Liknande är presens particip av verbet *liknar*.
Likadan = som har samma egenskaper/är eller ser ut precis som den/det
man jämför med.

Samma = 1 som är eller ser ut precis som den/det man jämför med:
Vi har samma färg på ögonen. 2 inte en annan person eller sak:
De har bott i samma lägenhet i många år.

Samma och *likadan* används ofta synonymt, men ibland blir betydelsen en annan.

Jämför:
Vi bor i samma rum på hotellet. = Vi delar rum.
Vi bor i likadana rum på hotellet = Våra rum ser ut på samma sätt.

A Välj något av orden för jämförelser och skriv dem i rätt form där de
passar in. Ibland kan flera alternativ vara rätt.

1 – Bo Pils tavlor är verkligen lite _____ , men intressanta.

– Ja, jag har aldrig sett någon konst som _____ hans.

– Jag tycker att alla hans tavlor är _____ fina.

2 – Din nya tröja har _____ färg som himlen. Den är jättefin!

– Tack! Nu har min bror köpt en exakt _____ tröja. Det är
inte så kul.

– Jaha, ni har tydligen _____ smak.

---

3   – Hur många syskon har du?

– Jag har två helsyskon, så vi har _____ mamma och pappa.

Sedan har jag tre halvsyskon. Vi har _____ mamma

men _____ pappor.

– Vem är du mest _____?

– Min lillasyster. Vi _____ varandra jättemycket. Min storasyster

och jag är helt _____ varandra. Hon är lång och mörk och

jag är kort och ljus.

4   – Första gången jag skulle segla gick det inte alls bra. Jag hade vindsurfat

tidigare och trodde att det var _____ sak.

– Nej, att segla och att vindsurfa är helt _____ saker.

5   – Tyckte du om soppan?

– Ja, den var jättegod! Min mamma brukade göra en _____ soppa,

men hon använde inte _____ kryddor och hade kyckling i stället

för fläskkött.

– Jag tycker också att den var god, men den har en _____ smak.

Vad kan det vara?

– Jag vet inte. Koriander kanske?

6   – Har du läst den här deckaren?

– Ja, den är bra men den _____ *Mördaren i skogen* för mycket.

Det är precis _____ historia, bara med andra huvudpersoner.

– Vad trist! Jag letar efter någon _____ deckare, någon som

inte är som alla andra.

– Då ska du läsa *Kniven under kudden*. Den är jättespännande.

B   Skriv 8–10 egna fraser med orden för jämförelser.

5 Ord

Välj verb i rutan och skriv dem i rätt form där de passar in.

Min syster har alltid varit ganska äventyrlig. Jag kan nästan inte _____
1

reda på alla konstiga saker hon har gjort. En gång _____ hon vad
2

med en kompis om att hon kunde hoppa ner i vattnet från en jättehög bro.

Innan hon gjorde det _____ hon två dagar i simhallen där hon
3

övade att hoppa från 10-meterstrampolinen. Det var lite läskigt, men jag tänkte att

hon fick _____ sig själv om hon gjorde sig illa. Och min syster
4

sa alltid att jag inte hade med hennes projekt att _____ . Min
5

syster gillade att _____ olika utmaningar. Ingen har kunnat
6

_____ stopp för henne. Hon brukade säga att livet _____
7   8

av olika äventyr. Vi var väldigt olika, min syster och jag. Jag tyckte mest om att

_____ mig åt min myntsamling. En gång ville jag också göra något
9

farligt; jag skulle simma långt ut och runda en ö. Men det var så kallt i vattnet att

jag _____ hemåt efter 50 meter. Mina föräldrar säger att folk inte
10

vet vad det _____ att ha en så äventyrlig dotter.
11

   Nu säger min syster att hon har en dröm hon vill _____ ,
12

nämligen att _____ Mount Everest! Jag tycker att det verkar livsfarligt,
13

men min syster säger att det bara är att _____ att göra misstag.
14

Vad ska man göra? Jag får väl stanna hemma och _____ hand om
15

våra stackars föräldrar som vanligt.

6 Prepositioner

Skriv rätt preposition.

Jag förstår inte hur folk kan ägna så mycket tid _____ sociala medier.

1

Det är nog inte bara jag som irriterar mig _____ alla idiotiska kommentarer

2

folk skriver. Det måste vara svårt _____ alla bloggare att läsa de elaka saker

3

som skrivs. Kan folk inte hålla sig _____ sakfrågorna? Men ibland hittar man

4

roliga saker också. Igår såg jag ett roligt filmklipp med en hundvalp som jag

skrattade mycket _____ .

5

Jag försöker säga _____ mina barn att jag är trött _____ att de alltid

6   7

hänger över sina telefoner, datorer eller surfplattor. Hur kan man sätta stopp

_____ allt surfande egentligen? Jag tror att alltför mycket surfande kan leda

8

_____ olika problem. _____ första hand tänker jag på strålningen. _____

9   10   11

många forskare är det farligt _____ hjärnan. Och tänk på alla prylar! Barnen

12

kan ju inte hålla reda _____ alla sladdar, hörlurar och annat som de har.

13

Jag försöker _____ olika sätt uppmuntra mina barn till att bestämma

14

träff _____ sina kompisar och leka _____ stället. Det är viktigt _____

15   16   17

oss att träffa människor _____ "verkliga livet". Men barnen lyssnar förstås

18

inte _____ mig. De är så vana _____ att försvinna in _____ den digitala

19   20   21

världen. Imorgon ska jag berätta _____ dem att jag är lite besviken _____

22   23

dem. Men nu ska jag _____ lugn och ro läsa min bok som handlar _____

24   25

barnuppfostran.

Repetera

7 S-passiv

 A Skriv verben i passiv form infinitiv, presens, preteritum och supinum.
Exempel:

Infinitiv	Presens	Preteritum	Supinum
bakas	bakas	bakades	bakats

~~baka~~	stjäla	röka	använda
sy	skriva	hänga	göra
renovera	utmana	välja	förstöra

B Skriv en mening i s-passiv med varje verb från A. Välj själv vilket tempus
du vill använda.

8 Substantiv bestämd och obestämd form

Ringa in rätt alternativ.

1 Cindy är *mamma/en mamma* till tre små pojkar.

2 Ska vi gå till *biblioteket/bibliotek* efter kursen?

3 Kom nu, *middag/middagen* är klar!

4 I morse glömde jag mina *nycklar/nycklarna* till *jobb/jobbet*.

5 Miles är *framgångsrik ekonom/en framgångsrik ekonom*.

6 Vill du inte dricka upp ditt *kaffet/kaffe*?

7 I morgon ska *skolklass/en skolklass* besöka *riksdagen/riksdag*.

8 Heidi är *katolik/en katolik*.

Kopiering av detta engångsmaterial är förbjuden enligt lag och gällande avtal.

13

1 Substantiv: obestämd form med eller utan artikel

> Du är ju precis som ett litet barn.
> Som barn gick jag alltid runt …
> Jag tycker att du ska ha kjol och en prickig blus.
> Häxor ska väl gå med käpp?

Efter *som* (= på samma sätt som/i likhet med) har substantivet artikel:
Du är ju precis som ett litet barn. = Du är inte ett litet barn, men du uppför dig som ett litet barn.

Efter *som* (= i egenskap av) har substantivet inte artikel:
Som barn gick jag alltid runt … = Jag var ett barn då.

Substantivet har oftast inte artikel när man pratar om utrustning, hjälpmedel, ägodelar, klädesplagg etc. Man tänker inte på specifik utrustning eller specifika kläder:
Han går med käpp. Hon har glasögon. De har villa.
Han har alltid kostym och slips.

När man använder beskrivande adjektiv har man ofta artikel:
Jag tycker att du ska ha en prickig blus.

A Ringa in rätt alternativ.

1 Alla ungdomar i klassen har *mobil/en mobil*.

2 Jag ska köpa *vit skjorta/en vit skjorta* idag.

3 Måste du alltid tala som *professor/en professor*? Jag förstår inte vad du menar.

4 Jag kan inte läsa utan *glasögon/ett par glasögon*.

5 Som *barn/ett barn* var han alltid glad.

6 Hon går alltid klädd i *en kjol och en blus/kjol och blus*.

7 Farfar går med *rollator/en rollator*.

8   Man har stort ansvar som *förälder/en förälder.*

9   Bilen har *en krockkudde/krockkudde.*

10 Han beter sig som *en tonåring/tonåring.*

 B   Skriv om texten så att alla substantiv får rätt form. Repetera reglerna för obestämd och bestämd form i Minigrammatik om du behöver.

Klockan ett på en natt knackade det på dörr hemma hos mig. Jag låg i en soffa och läste. Det var kallt och regnigt ute. Himmel var alldeles svart. När jag öppnade såg jag mannen med hatten, överrocken och paraplyet. Jag hade aldrig sett honom förut. Han hälsade och frågade om han fick komma in en liten stunden. Han tog av sig stövlar och kom in i ett hus. Vi gick in i ett kök och satte oss vid köksbord. Jag frågade om han var hungrig och ville ha smörgåsen. Han berättade att han hade varit ute med sin hunden, men att hund hade sprungit bort. Nu var en man trött eftersom han hade letat efter hund hela natt. Han tog fram fotografiet och visade hur hund såg ut. Det var vit hund med svarta prickarna. Jag gick ut i ett vardagsrum för att hämta min mobilen så att vi kunde ringa en polis. Men jag kunde inte hitta mobil, och jag fick leta länge. Jag letade i 20 minuterna och till slut hittade jag den under soffa. När jag kom tillbaka till ett kök såg jag att en man hade somnat. Jag hörde något ljudet utanför ytterdörr och gick dit och tittade. Det var en mans hunden!

2 Ord: slang och interjektioner

Det kan vara bra att kunna lite slangord så att man förstår vad folk pratar om. Men var försiktig med att använda dessa ord själv. Det är svårt att veta i vilka sammanhang de passar och vilket stilvärde de har.

– Jag såg en asbra film i går. Den hette *Semester i helvetet.*
– Ja, den är skitbra. Magnus Karlsson är sjukt bra i den filmen.
– Och Jenny Rosengren är värsta snyggingen.

– Jag är mellanbarn. Jag har en äldre brorsa och en lillasyrra. Min morsa och min farsa är skilda. Min morsa har en ny kille. Vi brukar kalla honom extrafarsa.

– Fasen, vad hungrig jag är. Kan vi inte käka nu?

– Jag fattar inte alls hur man gör. Kan du förklara?

– Såg du matchen i går? Hanna Persson var så jäkla bra!

– Den här filmen var så rolig. Jag garvade hela tiden!

– Hör ni! Sitt inte och snacka. Jag hör inte vad de säger?

– Men hallå! Det där var faktiskt mitt kaffe!

A Kombinera orden och ordgrupperna med rätt förklaring.

1 As-, skit-, sjukt och värsta

2 En farsa, en morsa, en brorsa och en syrra

3 Fattar/hajar

4 Jäkla/jävla/fasen

5 Garvar

6 Snackar

7 Hallå

8 Käkar

a betyder förstår.

b betyder äter

c betyder pratar.

d betyder skrattar.

e är familjeord.

f kan användas för att visa förvåning, glädje, irritation eller ilska.

g är ord och prefix för att förstärka något negativt eller positivt.

h är svordomar, alltså "fula ord" som man kan använda för att förstärka något.

B I talspråk använder vi ofta interjektioner, spontana utrop, för att förstärka det någon annan eller vi själva säger. Välj rätt ord i rutan och skriv dem där de passar in. Ibland kan flera alternativ vara rätt.

oj	usch	äsch	aj	pust
puh	burr	fy	hoppsan	blä*

* framför allt barnspråk

1 – Har du ont här?

– Ja, _____ , det gör

jätteont!

2 – Idag, lille Putte, ska vi äta fisk-

bullar.

– _____ , fiskbullar är

äckligt!

3 – _____ , jag har hittat

mina nycklar!

– Vad bra!

4 – Titta, nu visar de en ögon-

operation på teve.

– Å, _____ , det vill inte

jag se!

5 – Mamma, jag trillade!

– _____ !

6 – _____ , jag råkade spilla

lite kaffe i soffan.

– _____ , det gör

ingenting.

7 – Det är 15 minusgrader ute.

– _____ , vad kallt!

8 – Det är 30 plusgrader ute.

– _____ , vad varmt!

9 – Igår åt jag surströmming.

– _____ , vad äckligt!

3 Utrop

Hallå! Vilken pinsam jul det var!
Å gud, vad gulliga ni är!

Vilken/vilket/vilka + adjektiv + substantiv +
subjekt + verb
Vad + adjektiv/adverb + subjekt + verb

A Gör utrop med *vad* eller *vilken*. Orden med fet stil är huvudorden i frasen.
Exempel:

fina byxor/du/köpt/har

Vilka fina byxor du har köpt!

1 **god mat/otroligt**/har/lagat/du

2 **intressant**/var/filmen

3 **vackert väder**/har/blivit/det

4 **dåligt**/mår/jag/idag

5 **fantastiskt vackert**/sjöng/Lucian/på konserten

6 **fina påskkärringar**/var/förra året/ni

B Skriv 3–5 egna utrop enligt samma mönster som här ovanför.

4 Partikelverb

Skriv rätt verbpartikel.

1 Igår var det iskallt ute. Jag hade _____ mig mössa och vantar, men jag
$\quad$ 1

höll ändå på att frysa _____. Även om det är kallt, tycker jag om vintern.
$\quad$ 2

Speciellt om det finns snö som lyser _____ staden. Och jag vill alltid
$\quad$ 3

passa _____ att åka skidor när det kommer snö.
$\quad$ 4

2 Mina syskonbarn älskar påsken. De brukar klä _____ sig till påskkärringar
$\quad$ 1

och gå _____ i villaområdet och dela _____ påskkort som de har målat.
$\quad$ 2 $\qquad$ 3

Jag gillar våren. Det är fint när alla blommor slår _____, men just påsken
$\quad$ 4

bryr jag mig inte så jättemycket _____, fast det är lite gulligt när påsk-
$\quad$ 5

kärringarna dyker _____. Men jag har ett problem. Jag kan inte komma
$\quad$ 6

_____ vad grannarnas alla barn heter. Och de är ganska lika varandra.
$\quad$ 7

Jag blandar ofta _____ Soraya, Sarah och Stina till exempel. Jag måste
$\quad$ 8

försöka hålla reda _____ vem som är vem.
$\quad$ 9

5 Verb: grupp 4

De här 34 verben från grupp 4 har använts i boken. Titta igenom listan
och se om du kan verben. Gör sedan uppgift A–H. Tänk på att vissa verb
hör till flera grupper.

gör	angriper	får	ligger	står
befinner	förbjuder	måste	säger	undviker
förstår	behåller	ser	säljer	tar
blir	vet	innehåller	sätter	ska
skriver	drar	hinner	heter	skriker
finns	dricker	ifrågasätter	slipper	vill
dör	innebär	spricker	översätter	

 A   Det finns 6 hjälpverb i rutan. Skriv dem i infinitiv, presens, preteritum
och supinum. Några av hjälpverben används inte i infinitiv.

B   Skriv 2 exempelmeningar med varje hjälpverb. Variera tempus.

C   Det finns 10 verb som består av prefix och verb. Vilka?
Skriv dem i imperativ, infinitiv, presens, preteritum och supinum.

D   Skriv en exempelmening med de 10 verben från C.

E   Det finns 11 verb som hör till böjningsgrupperna i–a–u och i–e–i. Vilka?
Skriv de 5 formerna av verben.

F   Skriv en exempelmening med varje verb från de här grupperna.

G   Skriv de 5 formerna av resten av verben.

H   Skriv en exempelmening med varje verb från G.

Repetera

6 *Är/blir* + perfekt particip

Är eller *blir*? Skriv verben i rätt form där de passar in.

1 Banken på Nytorget _____ rånad igår.

2 Frank _____ bortrest. Han kommer hem nästa vecka.

3 Kajsa _____ frustrerad när hon inte kunde lösa problemet.

4 Akta, biffen _____ bränd om du steker den på så hög värme.

5 Sixten _____ sjukskriven i två månader nu. Hoppas att han kommer

   tillbaka snart.

6 Morfar _____ inlagd på sjukhus i lördags.

7 Jag måste gå till jobbet eftersom min cykel _____ stulen.

8 Fem cyklar _____ stulna från cykelrummet den här månaden.

9 Förskolan _____ stängd på grund av sjukdom.

10 Min bror _____ irriterad hela dagen igår.

7 Indefinita och reflexiva possessiva pronomen

Skriv *man, en, ens, sig, sin, sitt* eller *sina*.

1 Det är bra att veta vad alla _____ kurskamrater heter.

2 Om _____ tappar bort _____ passerkort kan _____ låna ett

   i receptionen.

3 Det är normalt att _____ är lite orolig när _____ barn är ute på

   kvällarna.

4 Det är trevligt om någon pratar med _____ på bussen.

5 _____ brukar säga att _____ lär av _____ misstag.

6 När _____ pengar håller på att ta slut måste _____ snåla.

7 _____ måste akta _____ så att ingen tar _____ plånbok när

man är på stranden.

8 Om någon med okänt nummer ringer till _____ kanske _____

inte vill svara.

9 _____ kan känna _____ lite nedstämd när _____ barn flyttar

hemifrån.

10 Det är viktigt att _____ tar hand om _____ hälsa.

8 Verb med -s

A Skriv deponensverben i rutan i imperativ, infinitiv, presens, preteritum
och supinum. Exempel:

Imperativ	Infinitiv	Presens	Preteritum	Supinum
låtsas!	låtsas	låtsas	låtsades	låtsats

~~låtsas~~	umgås	misslyckas	trivs
skäms	lyckas	svettas	kräks

B Skriv två meningar med varje verb. Välj tempus själv. Exempel:

Min kusin brukar låtsas att han är en hund.
Igår låtsades jag att jag inte kan prata engelska.

C Välj rätt verb ur rutan och skriv dem i rätt form där de passar in.

skrämmer	slår	träffar	biter	skiljer

1 Barnen i den här klassen är väldigt bråkiga. De brukar ofta _____

   på rasterna.

2 Igår _____ en flicka en klasskamrat i huvudet med en

   tennisracket.

3 Vår hund _____ grannens pudel i benet i morse. Det var

   inte så bra.

4 Klappa inte hunden. Den _____ .

5 Li tycker om att _____ sin lillebror med en plastorm.

   Han börjar alltid gråta när hon _____ .

6 Olof och Fatima ska _____ . Hon har _____ en

   annan man. De _____ på en konferens i våras.

9 Konditionalis

Sortera meningarna. Börja med orden i fet stil.

1 **Om**/fått/jobbet/jag/hade/inte + besviken/jag/blivit/ha/skulle

2 **Jag**/ha/inte/begagnad/köpt/skulle/bil/en + haft/pengar/jag/om/hade

3 **Vann**/pengar/jag/mycket + jag/Maldiverna/resa/skulle/till

4 **Hade**/vänner/inte/så många/jag/haft + varit/inte/ha/jag/skulle/så lycklig

14

1 Emfatisk omskrivning

(Jag) åt upp din chokladkaka igår. → Det var jag som åt upp din chokladkaka igår.

Jag åt upp (din chokladkaka) igår. → Det var din chokladkaka (som) jag åt upp igår.

Jag åt upp din chokladkaka (i köket).→ Det var i köket (som) jag åt upp din chokladkaka.

Jag åt upp din chokladkaka (igår). → Det var igår (som) jag åt upp din chokladkaka.

Åt (du) upp min chokladkaka? → Var det du som åt upp min chokladkaka?

(Vem) har ätit upp min chokladkaka? → Vem är det som har ätit upp min chokladkaka?

När man vill fokusera på någon del av satsen kan man använda emfatisk omskrivning. Man kan fokusera på subjekt, objekt eller adverbial.

Påståenden: *Det är/var* (inte) … (som)* + bisats.

Ja/nej-frågor: *Är/Var* det (inte) … (som)* + bisats?

Frågeordsfrågor: Frågeord + *är det/var* det* + bisats.

Som behöver man bara när man fokuserar på subjektet.

* alla tempus av verbet *vara fungerar*.

 A   Sortera meningarna.

1   det/i Sverige/träffades/Var/ni?

2   hus/Vem/som/ritat/det/har/ert/är?

3   målat/Jansson/Är/inte/som/det/den här/tavlan/har?

4   1998/det/gifte/Var/er/ni?

5   ingen/läxan/Varför/det/som/är/gjort/har?

B Skriv om meningarna till emfatisk omskrivning. Orden med fet stil
   ska ha emfas.

   1 **Jag** läste en bok om Sveriges historia i vardagsrummet igår.

   2 Jag läste **en bok om Sveriges historia** i vardagsrummet igår.

   3 Jag läste en bok om Sveriges historia **i vardagsrummet** igår.

   4 Jag läste en bok om Sveriges historia i vardagsrummet **igår**.

   5 **Vem** har inte låst dörren efter sig?

   6 Har **någon** låst ytterdörren?

C Skriv om dialogen till emfatisk omskrivning.

   1 – **Vem** använde min dator igår?

   2 – **Jag** gjorde det inte.

   3 – Inte? Satt inte **du** på min plats när jag kom från lunchen?

   4 – Jo, men jag satt inte där **igår**.

   5 – Nähä. **När** satt du där då?

   6 – Jag satt vid din dator **i förrgår**.

2 Transitiva och intransitiva verb

Det finns risk att texten på ett kvitto bleknar bort.
Ljuset bleker texten på kvittot.

En del intransitiva verb slutar på -na.		Intransitiva verb byter ofta vokal eller ändras lite på annat sätt när de blir transitiva.	
Intransitiva	**Transitiva**	**Intransitiva**	**Transitiva**
bleknar	bleker	brinner*	bränner
drunknar	dränker	dör*	dödar
fastnar	fäster	faller*	fäller
vaknar	väcker	ligger*	lägger*
kallnar	kyler	sitter*	sätter*
slocknar	släcker	sjunker*	sänker
sover*/somnar	söver	spricker*	spräcker
		står*	ställer

En del intransitiva verb slutar på -s. (Se kapitel 12.)	
Intransitiva	**Transitiva**
bits*	biter*
kittlas	kittlar
knuffas	knuffar
luras	lurar
retas	retar
sparkas	sparkar

A Skriv presens, preteritum och supinum av verben här ovanför som är SPECIAL (markerade med *). Exempel:

Presens	Preteritum	Supinum
sover	sov	sovit

B Välj verb och skriv dem i rätt form där de passar in. En del verb ska inte
   användas alls, en del verb ska användas flera gånger.

falla/fälla

1 – Såg du ishockeymatchen mellan Sverige och Canada igår? En svensk

   _____ i andra minuten och slog sig illa. På reprisen såg man att det

   var en motspelare som _____ honom.

brinna/bränna/kallna/kyla

2 – Igår eldade vi upp våra gamla trädgårdsmöbler. Träet var gammalt så

   möblerna _____ jättebra. Tyvärr _____ jag mig på

   ena handen, men jag sprang till köket och _____ handen med kallt

   vatten. Jag älskar att se eldar _____! Tänk om jag har varit pyroman

   i ett tidigare liv?

ligga/lägga/vakna/väcka/stå/ställa/somna/söva

3 – Nu går jag och _____ mig. Kan du _____ mig

   klockan sju i morgon?

   – Har du inte _____ väckarklockan?

   – Jo, men den ringer så tyst, så ibland _____ jag inte av den.

   – Kan du inte ta klockradion som _____ i arbetsrummet också?

slockna/släcka

4 – Doftljuset har _____. Var det du som _____ det?

   – Nej. Det kanske _____ av sig självt.

5 – Tycker du att jag ska _____ håret?

– Nja, jag vet inte. Det är ju sommar snart och då _____ väl

håret av all sol?

6 – Hjälp, jag har ätit så mycket att jag tror att jag _____.

Jag kan nästan inte _____ mig i soffan.

– Akta dig, så att du inte _____ dina nya byxor!

7 – Nu när Riksbanken har _____ räntan hoppas jag

att vi kan köpa ett större hus.

– Ja, vi får hoppas att priserna också _____ .

8 – Min farfar _____ i förrgår.

– Nej, vad tråkigt.

9 – Vet du att man _____ kattungar förr i tiden genom att

_____ dem i en säck med en sten i och kasta säcken i vattnet?

– Åh, fy vad hemskt! Jag tycker att den som gjorde det kunde prova själv hur

det är att _____ i en mörk säck och _____ sakta

men säkert i det kalla vattnet.

3 Ord: *byta, förändra, växla, ändra*

Jag skulle vilja byta de här jeansen. = till någon/något annan/annat

Jag har förändrats en hel del sedan jag flyttade till Sverige.

= Göra/bli annorlunda. Ändra mycket/på djupet

Jag skulle vilja växla 300 euro till dollar.

Vädret växlar ofta i april.

Gamla vanor är svåra att ändra. = Göra så att något inte blir som förut.

Först tackade hon ja till jobbet, men sedan ändrade hon sig och tackade nej.

= Tycka på ett annat sätt än vad man gjorde först.

Välj verb ur rutan och skriv dem i rätt form där de passar in.

byta	förändras	växla	ändra	ändra sig

1 – Kan vi gå nu?

– Vänta, jag måste bara _____ kläder.

2 – Har du _____ pengar till resan?

– Nej, jag gör det på flygplatsen. Det är lugnt.

3 – Ska inte du träffa Agnes i kväll?

– Jag hade bestämt med henne att vi skulle gå ut, men nu har hon

_____ och ska stanna hemma i stället.

4 – Kan vi inte _____ möbleringen hemma lite? Jag skulle

vilja flytta på soffan till exempel.

– Nej, snälla. Inte nu igen!

5 – Hur går det för din dotter Karin? Är hon fortfarande politiskt intresserad?

– Ja, verkligen. Hon är lite blåögd och tror att hon kan _____

hela världen.

6 – Snälla kan du _____ kanal? Det här programmet är ju jättetrist.

7 – Hur gick det på provet?

– Sådär. Tyvärr blev jag osäker och _____ några svar, trots att de var rätt.

8 – Idag är det bara 2 grader ute. Igår var det 10.

– Ja, temperaturen _____ mycket så här års.

9 – Tror du att den nya presidenten är bra?

– Jag vet inte. Men hon vill i alla fall _____ landets politik i grunden.

10 – Ska du flytta ihop med din flickvän?

– Igår ville jag det, men nu har jag _____. Hon kommer att bli galen på mig.

4 Ord: verb

Välj verb ur rutan och skriv dem i rätt form där de passar in.

> dra   framföra   göra åt   hålla   kalla   lösa   återgå

Igår när jag hade _____ en föreläsning för studenterna på
             1

universitetet, blev jag _____ till ett möte. Personalen hade
            2

_____ hård kritik mot våra nya arbetsrutiner. Alla var ganska
      3

upprörda och ledningen ville _____ problemet direkt, men man
           4

visste inte vad man skulle _____ saken. På mötet var det flera
         5

som skrek och bråkade och vår chef bad oss att vi skulle _____
         6

oss till ordningen. Chefen presenterade några nya förslag för oss, men ingen

verkade nöjd ändå. Efter en timmes diskussion _____ hon
         7

slutsatsen att vi måste anlita en konsult som kunde hjälpa oss.

5 Ord: verb och substantiv

Ett vanligt sätt att göra substantiv av verb är att
ta bort infinitiv-*a*:

Verb	Substantiv
slarva	*ett slarv*
hjälpa	*en hjälp*

Ibland bildar man substantiv med -*e*:
byta   *ett byte*

Ett annat vanligt sätt att bilda substantiv är med -*ning*:
använda   *en användning*

A Fyll i orden som saknas i tabellen.

Verb	Substantiv
	ett gräl
köpa	
tjata	
tvätta	
möta	
krascha	
	ett lån
	ett ansvar
falla	
intervjua	
samarbeta	

B Det finns andra sätt att bilda ordfamiljer på. Fyll i orden som saknas i tabellen.

Verb	Substantiv
	en bestämmelse
	ett erbjudande
	en kostnad
	en röra
trivas	
	en trötthet
	en väntan
	en återgång
varsla	
dra av	
	en ägare
	ett missförstånd
	en spricka
	ett löfte

C Välj fem av ordparen från A–B och skriv exempel med både verbet och substantivet. Exempel:

Jag köpte en ny dator på rea.
Det var ett bra köp.

Repetera

6 Adverb: *nog, väl, ju*

Välj det adverb som passar bäst: *nog, väl* eller *ju*.

1 – Anders sitter inte vid sitt skrivbord. Jag är inte hundra, men han har

     _____ gått och fikat med Jenny.

2 – Jag måste köpa fisk till middagen ikväll. Bibi äter _____ inte kött.

3 – Varför frågar du om jag vill ha mjölk i kaffet, Cecilia? Du vet _____

     att jag är laktosintolerant.

4 – Davide är _____ inte färdig med sin utbildning än?

5 – Erki blir _____ sen idag för det är stopp på tåget från Uppsala.

6 – Frederico kommer _____ ikväll?

7 – Vet någon var Gurli är? Hon brukar alltid vara här i tid.

    – Hon tror _____ att mötet börjar klockan 10 istället för klockan 9.

8 – Nej, jag vill verkligen inte gå ut på promenad idag. Det ösregnar _____.

7 Presens perfekt om framtid

 Kombinera orden till meningar.

1 har/när/ska/titta/vi/vi/ätit/ … på teve.

2 har/när/kommit/ska/snön/vi/ … åka skidor.

3 Vi kan inte gå ut i lekparken … /det/förrän/har/regna/slutat/.

4 Jag borde inte skaffa … /examen/har/förrän/barn/jag/min/tagit/.

5 har/jag/jag/lärt/söka/mig/när/ska/svenska/ … jobb som ingenjör.

8 När/vem/vad/var/vart/hur som helst

Skriv *när, vad, vem, var, vart* eller *hur*.

1 Ceasar är så kär. Han skulle kunna gifta sig _____ som helst
   med sin partner.

2 Dilhani är så hungrig att hon kan äta _____ som helst.

3 Elias och Fredrika planerar semester. Elias kan tänka sig att åka _____
   som helst men Fredrika vill åka till Sicilien. Hon är arbetslös så hon kan åka
   _____ som helst. Elias däremot måste söka semester.

4 Idag kan _____ som helst publicera texter på nätet och nå många läsare.

5 Gert är ganska naiv. Han tror på nästan _____ som helst.

6 På de flesta fester i Sverige kan man klä sig lite _____ som helst. Det är
   bara ibland som det står en speciell klädkod på inbjudan.

9 Jämförelser: *olika, annorlunda*

Skriv *olika* eller *annorlunda*.

1 Ulla och Olle är två helt _____ namn men det kan vara svårt att höra
   skillnad.

2 Sture firade sin födelsedag lite _____ än vanligt. Han bjöd hela
   släkten på restaurang.

3 Vince och hans bror är så _____. Vince är sportig och Villiam
   är en soffpotatis.

4 Xerxes barndom var ganska _____. Han växte upp på en strutsfarm.

5 Yngve tror att nästa år blir _____. Han ska nämligen vara
   pappaledig då.

6 Norska och svenska är två _____ språk, men norrmän och svenskar
   förstår varandra ganska bra.

15

1 Adjektiv och particip som substantiv

> Hur hittar arbetslösa eller arbetssökande jobb?
> de anställda på Arbetsförmedlingen

Ibland använder man adjektiv, presens particip och perfekt particip som substantiv.
Då kan man sätta artiklarna *en/ett*, *den/det* och *de* framför.

Man böjer adjektiv och perfekt particip som om det hade stått ett substantiv efter:
De anställda startade en vild strejk.

Presens particip böjer man som substantiv grupp 4 när det är ett-ord:
ett leende – leendet – leenden – leendena

När det är en-ord har det samma form i plural och singular:
en sökande – två sökande

Bestämd form kan se olika ut, ibland med artikel (*den/det/de*), ibland med ändelse (*-en/-et/-ena*):
Den sökande/sökanden bör ange referenser.

Ofta kan samma presens participform finnas både som en-ord (en person) och ett-ord
(en aktivitet):
en sökande (en person) – *ett sökande* (en aktivitet), *en boende – ett boende,*
en rökande – ett rökande.

singular obestämd	singular bestämd	plural obestämd	plural bestämd
en arbetslös	den arbetslösa/e	arbetslösa	de arbetslösa
en anställd	den anställda/e	anställda	de anställda
ett leende	leendet	leenden	leendena
ett sökande	sökandet	—	—
en sökande	den sökande/sökanden	sökande	de sökande/sökandena

Skriv orden inom parentes i rätt form.

Tips: Fundera först på om du ska bilda presens particip eller perfekt particip av verben. Om det är ett adjektiv i parentesen ska du böja det i rätt form.

1 Det var fler _____ (söker) till utbildningen än det fanns platser.

2 Av alla _____ (anställer) på företaget är det faktiskt bara en

   _____ (anställer ny) som talar mandarin.

3 De _____ (studerar) protesterade mot att kaffet i kafeterian var för

   dyrt.

4 Det finns ungefär 400 miljoner _____ (talar engelska). Då

   räknar man dem som har språket som förstaspråk.

5 Det är roligt när folk är glada på kontoret, men Berits ständiga _____

   (skrattar) och _____ (skämtar) gör att jag tappar koncentrationen.

6 Efter begravningen drack de _____ (sörjer) kaffe.

7 Efter en vecka var man tvungen att ge upp _____ (söker) efter den

   försvunne mannen.

8 En man blev misshandlad igår på Storgatan. En _____

   (passera förbi) stoppade misshandeln.

9 Många _____ (stå ensam) med barn har svårt att få pengarna

   att räcka till.

10 På konfirmationen satt de _____ (ung) längst fram i kyrkan.

11 Rikard undrade vad han skulle göra med alla köttbullar. De _____

   (steker färdig) ställde han kylskåpet och de _____ (rå) fryste han

   in till senare.

12 Noi tittade på alla foton från semestern. De _____ (bra) skrev

   hon ut och de _____ (dålig) kastade hon.

2 Demonstrativa pronomen

De tillfrågade fick välja mellan dessa svarsalternativ: …

Denna = den här
Detta = det här
Dessa = de här
Denna/detta/dessa + bestämt adjektiv + obestämt substantiv *
Den/det/de här + bestämt adjektiv + bestämt substantiv
Denna/detta/dessa är i de flesta delar av Sverige mer formellt än *den/det/de här/de där.*

* I vissa delar av Sverige har man bestämd form av substantivet efter *denna/detta/dessa*
i talspråk.

Skriv orden i parentes i rätt form.

svår, fråga

1 Jag skulle vilja diskutera denna _____

med någon klok person.

omöjlig uppgift

2 Vem är det som har hittat på dessa _____

_____ ?

nyutgiven bok

3 Har du läst den här _____ ?

viktig meddelande

4 Jag skulle vilja att alla läser detta _____

inför mötet i morgon.

nyrenoverad stol

5 Jag ska sälja de här _____ .

omarbetad manus

6 Kan du ta dig en titt på det här _____ ?

högklackad sko

7 Tycker du att jag ska ha de här _____

på festen?

	8	Vad ska vi göra med alla dessa _____?
gammal foto		
intressant artikel	9	Du måste läsa den här _____.
litet hus	10	I det här _____ bodde min mormor och morfar.

3 Presens perfekt eller preteritum perfekt utan *har* eller *hade*

... du börjar med det du gjort senast

I bisats kan man stryka *har* eller *hade* före supinum.

I vilka av nedanstående meningar kan man stryka *har* eller *hade*?

1 Magdalena har sett *Borta med vinden* fem gånger.

2 Vet du vem som har skrivit den här boken?

3 Telefonen ringde när Lasse hade gått ut.

4 Carl säger att det är så lätt att lösa sudoku, men jag har aldrig förstått hur man gör.

5 Anna har bott utomlands i många år och hon påstår att hon aldrig har längtat hem.

4 Relativa *som*

Presentera bara dem som är intressanta
S
med tanke på tjänsten du söker.
S

Man måste ha *som* när det är subjekt i bisatsen. När något annat ord är subjekt i bisatsen behöver man inte ha *som*.

Vilka *som* kan man stryka i meningarna här nedanför?

1 Ange i ditt cv vilka dataprogram som du behärskar.

2 Under "övriga uppgifter" skriver du om andra uppgifter som kan vara intressanta för arbetsgivaren, om du har körkort till exempel.

3 Om det är relevant för tjänsten som du söker kan du ange dina färdigheter inom de olika språkområdena.

4 Skriv det språk som du kan bäst först.

5 Hoppa över erfarenheter som du själv inte är stolt över.

5 Partikelverb

Jag kunde se om en film jag gillade hur många gånger som helst.	Partikeln *om* kan ha betydelsen *igen/en gång till*.

A Skriv ett verb som passar med partikeln *om*.

1 Det var bara sex månader sedan Martina skilde sig från Evert. Hon träffade en ny man ganska snart och nu till sommaren ska hon _____ om sig.

2 Sofia gillar inte färgen hon har på väggarna, så hon tänker _____ om dem i helgen.

3 Jag är inte helt nöjd med den här texten. Jag ska nog _____ om den.

4 Alicia klarade inte kursen, så nu måste hon _____ om den.

5 När datorn krånglar kan man pröva att _____ om den.

6 Nej, det här blev inte bra. Kan vi inte _____ om från början?

Jag hoppade till när jag såg att Bio Rio sökte extrapersonal.	Partikeln *till* kan betyda att något händer plötsligt och bara en gång.

B Välj verb ur rutan och skriv dem i rätt form där de passar in.

nicka	skratta	tänka	skrika	hosta	slå

1 Komikern tyckte att kvällen hade varit ganska misslyckad. Det var bara

   någon ur publiken som _____ till då och då.

2 Pia blev så arg på sin storebror när han retades att hon _____ till

   honom hårt i magen.

3 Morfar brukar bli så trött när han tittar på nyheterna att han ofta

   _____ till framför teven.

4 Ingen hörde att Anita kom in i rummet, så hon _____ till lite

   diskret för att väcka de andras uppmärksamhet.

5 Skräckfilmen var så hemsk! När psykopaten dök upp igen i slutscenen

   blev jag så rädd att jag _____ till.

6 Vi måste _____ till ordentligt innan vi lägger ett högre bud på huset.

   Är det verkligen värt pengarna?

Sekreteraren hade åkt på en Medelhavskryssning för att vila ut.

Partikeln *ut* kan ha betydelsen att man gör något *färdigt/slutgiltigt/ helt och hållet*.

C Skriv ett verb som passar med partikeln *ut*.

1 Det är skönt på helgen när man kan få _____ ut på morgnarna.

2 Körledaren var lite missnöjd med sångarna i kören. Hon tyckte inte att

   de _____ ut ordentligt.

3 Karin och Johan har bråkat mycket en tid. Men i helgen satte de sig ner

   och _____ ut om alla problem.

4 En kusin till mig är så tjatig och självupptagen. Han _____ ut mig

   totalt med sitt prat om sig själv.

6 Prepositionsfraser

Presentera bara de kurser som är intressanta med tanke på tjänsten du söker.

När man binder ihop satser och vill visa sammanhanget mellan dem använder man ofta konjunktioner och subjunktioner. Men man kan också använda prepositionsfraser. Språket blir då oftast mer formellt.

Använd prepositionsfraserna här nedanför för att bygga ihop två meningar till en. Formulera om och stryk eller lägg till ord där det behövs.

Placera prepositionsfrasen där du tycker att den passar bäst, i början av meningen eller mellan fraserna. Exempel:

i jämförelse med

Maja är väldigt bra på tennis.

Anna och Stina är inte lika bra.

Maja är väldigt bra på tennis i jämförelse med Anna och Stina.

I jämförelse med Maja är Anna och Stina inte så bra på tennis.

1 **med hjälp av**

   Niklas lyckades sluta röka.

   Det gjorde han med akupunktur.

2 **i samband med**

   Peter och Lotta sålde sitt

   sommarställe.

   Det gjorde de vid skilsmässan.

3 **med tanke på**

   Man borde använda cykelhjälm.

   Orsaken är alla cykelolyckor i stan.

4 **till skillnad från**

   Carin är mörkhårig.

   Hennes lillasyster är blond.

5 **på grund av**

   Dagiset är stängt idag.

   Orsaken är sjukdom bland

   personalen.

7 Adjektiv: positiv eller negativ betydelse

A Välj adjektiv ur rutan och skriv dem där de passar in.

petig	fantasilös	underlig	framfusig
sällskapssjuk	orealistisk	splittrad	mästrande
snål	dumdristig	tanklös	~~slösaktig~~

	POSITIV	NEGATIV
1	generös	_slösaktig_
2	fantasifull	
3	social	
4	ekonomisk	
5	noggrann	
6	ovanlig	
7	pedagogisk	
8	mångsidig	
9	modig	
10	saklig	
11	framåt	
12	spontan	

 B Skriv egna exempel med adjektiven från övning A. Exempel:

> _Rune är så slösaktig. Så fort han har lite pengar gör han av med_
> _allt på en massa onödiga saker._

Repetera

8 Ordföljd

 Sortera meningarna. Börja med orden i fet stil.

1 **När**/gå/intervju/ska/man/en/på + det/viktigt/är + väl/man/att/är/förberedd

2 **Innan**/börjar/ditt/skriva/du/CV + bra/är/det + ta/så/om/att/på/reda/mycket/ möjligt/företaget/som

3 **Välj**/en/referensperson/hellre/annan + tror/inte/du/om + din/chef/att/förra/ ge/ kommer/bra/att/dig/referenser

4 **Det**/viktigt/är + inte/att/överdriver/du + skriver/ansökningsbrev/när/du

5 **Det**/bra/är + kan/konkreta/om/ge/man/exempel/saker/bra/på + man/som/ gjort/har/tidigare

9 Ordföljd: indirekt tal

Skriv om dialogerna till indirekt tal. Ändra *du* och *jag* till *hon*. Exempel:

A: Kan du berätta lite om dig själv.

 A frågar om hon kan berätta lite om sig själv.

B: Jag vet inte var jag ska börja.

A: Du kan väl börja med att berätta om din universitetsutbildning

B: Jag har ingen formell utbildning.

A: Har du ingen universitetsutbildning?

B: Det stämmer.

A: Varför har du egentligen sökt det här jobbet?

B: Jag visste inte att man behövde universitetsutbildning för att steka hamburgare.

A: Det måste ha blivit något missförstånd.

B: Vad är fel?

A: Den här intervjun handlar om jobbet som marknadschef.

10 Substantiv: obestämd form med och utan artikel

Ringa in rätt alternativ.

1 Har du *internet/internetet* hemma?

2 Sluta prata som *bebis/en bebis*! Jag hör inte vad du säger.

3 Som *tonåring/en tonåring* var han ganska skoltrött.

4 Han har nästan alltid på sig *en kostym och en slips/kostym och slips*.

5 Som *präst/en präst* har man oregelbundna arbetstider.

6 Hon beter sig som *en rebell/rebell*.

7 Eva är *kirurg/en kirurg*.

8 Olena är *skicklig pianist/en skicklig pianist*.

11 Utrop

Gör utrop med *vad* eller *vilken*. Orden med fet stil är huvudorden i frasen. Exempel:

fina byxor/du/köpt/har

Vilka fina byxor du har köpt!

duktig/är/du/på svenska

Vad duktig du är på svenska!

1 **intressant jobb**/otroligt/har/fått/du

2 **tydlig**/var/hisstal/ditt/

3 **bra cv**/har/skrivit/du

4 **svåra frågor**/ställde/de/intervjun/på

5 **tydligt formgivet**/cv/är/ditt

6 **roliga kollegor**/verkar/det/här/finnas

16

1 Uttryck med färger

Ingenting är svart eller vitt.

Uttryck med färger

Kombinera.

1

1 Han har en vit månad.

2 Han är familjens svarta får.

3 Han jobbar svart.

a Han betalar inte skatt.

b Han dricker inte alkohol den här månaden.

c Han är annorlunda (på ett negativt sätt).

2

1 Det är grönt.

2 Hon blev grön av avund.

3 Hon använder bara grön el.

4 Hon är helt grön.

5 Hon har gröna fingrar.

a Hennes grannar hade byggt en swimmingpool.

b Hon har aldrig gjort det förut.

c Hon kan göra det nu.

d Hon är jätteduktig med växter.

e Hon är mycket miljövänlig.

3

1 Han har inte ett rött öre.

2 Han ser ingen röd tråd i boken.

3 Han säger att allt inte är svart eller vitt.

4 Han vill ha det svart på vitt.

a Han tycker inte att det är så lätt att säga vad som är rätt eller fel.

b Han vill ha det skrivet på papper.

c Han har inga pengar.

d Han kan inte följa resonemanget.

4

1 Hon ger mig gråa hår.
2 Hon är helt uppe i det blå.
3 Hon är vit som ett lakan.
4 Hon är svartlistad på klubben.

a Hon får inte komma in.
b Hon gör mig mycket orolig och arg.
c Hon är väldigt orealistisk.
d Hon är mycket blek.

5

1 Det är en vit fläck på kartan för honom.
2 De slog honom gul och blå.
3 De lovade honom guld och gröna skogar.
4 Han har kommit på grön kvist.

a Han blev misshandlad.
b Han fick fel förväntningar.
c Han har fått det bra ekonomiskt.
d Han känner inte till området.

2 Verb: *står/ställer, ligger/lägger*

> Skorna ska stå ordentligt i skohyllan.
> Ställ skorna i skohyllan!
> Varför ligger det en massa skor i hallen?
> Lägg inte skorna hur som helst i hallen.

Står (intransitivt) = är placerad upprätt eller med översidan uppåt – i "rätt position" om något som kan stå.
Ställer (transitivt) = transitiva varianten av *står*.

Ligger (intransitivt) = är placerad på t.ex. golvet eller marken i horisontell position.
Lägger (transitivt) = transitiva varianten av *ligger*.

Verben *ligger* och *lägger* använder man också när saker (som kan stå) inte är i "rätt position".

Jämför:
Lägg inte böckerna på hyllan, utan ställ dem ordentligt.

A Skriv *står, ställer, ligger* eller *lägger* i rätt tempus där de passar in.

1 När vi hade haft inbrott _____ alla våra grejer på golvet i en enda röra.

Men de hade inte rört böckerna. De _____ ordentligt i bokhyllan.

2 – Här får du inte parkera!

– Men, min bil _____ här de senaste tre åren, utan att någon har

sagt något.

3 – Jag hittar inte ketchupen.

– Den _____ i kylskåpet.

– Och salladen?

– Den _____ i skafferiet.

4 – När vi körde till flygplatsen, åkte vi förbi en plats där det hade varit en

trafikolycka. Flera bilar _____ upp och ner i diket. Några bilar

_____ kvar på vägen, men var helt förstörda. Det såg hemskt ut.

På flygplatsen _____ vi bilen på långtidsparkeringen. När vi kom

tillbaka efter tre veckors härlig semester _____ inte bilen kvar.

Någon hade stulit den!

5 – Varför _____ din cykel på gräsmattan? Du kan inte bara släppa den

så där när du har cyklat. Kan du inte _____ den i garaget?!

6 – Den här boken är så stor. Den får inte plats i bokhyllan.

– Den kanske inte kan _____ upp, men om du _____ den

ner får den nog plats.

B Skriv *står, ställer, ligger, lägger, sitter* eller *sätter* i rätt form där de passar in. Ibland kan flera alternativ vara rätt.

1 – Vet du vad det _____ i matchen?

– Sverige _____ under med ett mål mot Schweiz just nu, men

Sverige spelar bra. Jag _____ femtio kronor på att de vinner till slut.

2 – Jag tänkte köpa en ny skjorta. Följer du med till Skjortspecialisten

som _____ i Gallerian?

– Men du har ju redan en massa skjortor! Jag fattar inte att du vill _____

så mycket pengar på kläder!

– Jo, men skjortan som jag köpte i fredags _____ inte så bra.

Jag vill ha en tajtare.

3 – Så, nu är jag nästan klar med dukningen. Jag ska bara _____

blommorna i en annan vas och sedan kan du öppna vinet.

– Vad fint det är! Det syns att du har _____ ner mycket tid på

dukningen … Oj, kan du hjälpa mig? Korken _____ jättehårt!

4 I fredags var jag och såg Dödsdansen på teatern. Innan jag köpte

biljetter läste jag recensionerna och det _____ att pjäsen var

fantastisk. Men jag tyckte att den var urtråkig. Det kändes som om

tiden _____ stilla.

5 – Kajsa, du måste bli lite ordentligare! Igår när vi kom hem _____

dörren öppen och nyckeln _____ i låset. Och i köket var det kaos.

Alla glas och kaffekoppar _____ odiskade på köksbänken. Mjölken

var inte in-_____ i kylskåpet och du vet att du måste _____ på

locket på kaffeburken. Hur kan du vara så slarvig?

– Jag vet inte, pappa. Det _____ kanske i släkten? Mina bröder är ju

likadana.

6 – Mamma, känn, den här tanden _____ alldeles löst. Tror du att

jag kommer att tappa den snart? Ska vi gå till tandläkaren och be henne

dra ut den?

– Nej, det behövs inte. Den kommer att lossna av sig själv. _____

stilla här på stolen en liten stund så ska jag känna på den.

3 Satsadverb och obetonat objektspronomen

Jag såg den inte när jag städade.
Nej, ta inte den!

I huvudsats placeras satsadverbet normalt efter subjekt och verb 1,
men före komplement:
Anna äter aldrig pizza.

Om det finns flera verb i meningen placeras satsadverbet normalt
mellan verb 1 och verb 2:
Anna har aldrig ätit pizza.

I meningar med omvänd ordföljd och i frågor:
Har Anna aldrig ätit pizza?

I en huvudsats med ett verb kommer satsadverbet *efter* ett obetonat
objektspronomen. Jämför:
Anna älskar honom inte, men hon tycker mycket om honom. (fokus på verbet)
Anna älskar inte honom, utan hans bror. (fokus på objektet/komplementet)
Ta den inte. Låt den ligga där den är. (fokus på verbet)
Ta inte den! Ta en annan. (fokus på objektet/komplementet)

I huvudsatser med flera verb och satser med preposition/verbpartikel
kan man inte variera satsadverbets placering. Då kan man använda fokus-
betoning för att visa vad man menar:
Anna har aldrig älskat honom.
Anna tycker inte om honom.

A Sortera orden i parentes så att fokus ligger på verben i meningarna.

1 Grannens hund är lite opålitlig, så _____.
   (den/klappa/inte)

2 Sarah mejlar ofta till Eric, men _____.
   (aldrig/hon/ringer/honom)

3 Jag letade efter dig i baren, men _____.
   (såg/inte/dig/jag)

4 Grannarna spelar ofta hög musik, men igår _____.
   (dem/inte/vi/hörde)

5 Min brors jeans är jättesmutsiga, _____.
   (dem/tvättar/aldrig/han)

6 Min farfar är ganska skäggig, _____.
   (sällan/sig/han/rakar)

7 Kan du prata lite högre?_____.
(jag/inte/dig/hör)

8 Peter sitter och pluggar, så _____.
(honom/stör/inte)

B Ringa in den variant som passar bäst i sammanhanget.

1 Per och jag gick i samma skola, men jag kände *honom inte/inte honom*.

2 Jag förstår inte heller det här, så fråga *mig inte/inte mig*. Det är bättre att du kollar med Anne.

3 Köp *den inte/inte den*. Ta den andra i stället.

4 Mia är inte alltid ärlig, så tro *henne inte/inte henne*.

5 Den här boken är jättespännande, men läs *den inte/inte den*. Lyssna på den istället.

6 Du får gärna låna glas till festen, men ta *dem inte/inte dem*. Ta de här.

7 Jag lovar att komma hem klockan tio. Oroa *dig inte/inte dig*.

4 Prepositioner för känslor

Jag blir galen på er.
Jag är galen i chili.
Jag är nervös för svärmors besök.
Jag är glad/ledsen/bekymrad/generad över/för hur det ser ut här hemma.
Jag är irriterad över att behöva städa själv.
Jag ska försöka vara snäll mot svärmor.
Jag är nöjd med festen.

På använder man ofta vid negativa känslor.

I använder man ofta vid positiva känslor.

För används ofta vid adjektiv som uttrycker oro och rädsla.

Vid adjektiven *glad/ledsen/bekymrad/generad* används *över* eller *för*.

Över används också tillsammans med *att* + infinitiv eller bisats.

Mot används vid attityd och beteende + personer och djur.

Med används vid attityd och beteende + saker.

A Gör en tabell med adjektiven ur rutan. Till vilken grupp hör de?
Några adjektiv kan höra till flera grupper.

avundsjuk	kär	snäll	besviken	elak
nervös	ordentlig	svartsjuk	försiktig	noga
galen	orolig	sur	vänlig	förbannad
irriterad	slarvig	tokig	ovänlig	

Exempel:

KÄNSLA		ORO/RÄDSLA	ATTITYD/BETEENDE
NEGATIV	POSITIV		
arg	förälskad	rädd	nöjd

B Skriv en lämplig preposition.

1 – Jag är så arg _____ min dotter. Hon har blivit så elak _____ sina

syskon på sista tiden. Ibland blir jag galen _____ henne, men jag försöker

förklara lugnt och snällt hur man ska bete sig _____ andra.

2 – Blir inte du irriterad _____ folk som inte kan passa tider?

– Jo, jag blir jättesur _____ Pernilla när hon kommer försent. Det var ju

annorlunda i början. Då var jag kär _____ henne och var glad att hon

kom ...

3 – Jag är nervös _____ provet.

– Jag med.

– Hoppas läraren blir nöjd _____ våra uppsatser.

– Jag hoppas att han är snäll _____ oss när han sätter betyg.

4 – Jag är tokig _____ smågodis. Jag kan inte sluta äta det.

– Jag vet. Jag är jätteavundsjuk _____ dig som kan äta hur mycket som

helst utan att gå upp i vikt. Jag måste vara noga _____ vad jag äter.

5 – Jag förstår inte varför säljaren var så ovänlig _____ mig.

– Äsch. Strunta i det. Hon var nog inte sur _____ dig. Hon var säkert

arg _____ chefen eller olyckligt kär _____ någon kille.

6 – Okej, du får låna bilen om du lovar att vara försiktig _____ den.

– Tack, mamma. Jag lovar att vara ordentlig _____ allt.

 C Skriv egna meningar med adjektiven från A.

5 Ord: *hel* och *all*

Vi måste äta upp all mat.
Ett hembiträde sköter allt hemarbete.
Alla familjer ser inte likadana ut.
I bondesamhället hade inte alla rätt att gifta sig.
Allt blir roligare när man är två.

Ska jag köpa en hel kyckling eller räcker det med en halv?
Hela familjen åkte på semester tillsammans.

All och *allt* används för oräknebara substantiv.
Alla används vid substantiv i plural. *Allt* och *alla* kan också
användas självständigt.

Efter *all*, *allt* och *alla* kan substantivet ha obestämd eller
bestämd form:
Jag kunde svara på alla frågor/frågorna.

(En) hel, *(ett) helt*, *hela* används för räknebara substantiv.
Efter *hela* har substantivet bestämd form.

A Vilka substantiv är räknebara och vilka är oräknebara?

socker	mjöl	mat	släkting
uppmärksamhet	familj	år	pizza
lyx	släkt	sommar	vin

B Skriv *all* och *hel* i rätt form där de passar in.

1 När jag var liten fick min lillasyster _____ uppmärksamhet för hon

var så gullig. När _____ släkten träffades pratade _____ släktingar

bara med henne.

2 När mamma fyllde 65 år reste _____ familjen till Indien. Sedan hade vi

en stor släktträff. _____ mat och _____ vin tog slut, för _____ åt

och drack så mycket.

3 När jag går på pizzeria brukar jag inte äta en _____ pizza. Då säger

alltid min dotter: "Ska du inte äta _____ pizzan? Då kan jag äta upp

resten."

4 Jag har inte träffat min mormor på ett _____ år.

5 När jag var på slottet blev jag imponerad av _____ lyx. Det var så

mycket guld överallt.

6 Jag måste gå och handla. _____ mjöl och _____ socker är slut.

7 _____ frågar varför jag är så irriterad. Då svarar jag att jag är trött

på _____ som inte fungerar hemma. Diskmaskinen är trasig och

det är jättestökigt.

8 Förra året regnade det _____ sommaren. Det var inte så kul.

C Skriv egna meningar med *all* och *hel*.

Andra sätt att använda *hel* och *all*

Hel:

* inte trasig: *Jag har inga hela strumpor.*
* "totalt": *Hon var helt galen.* Även som prefix: *Hon var helgalen.*
* helt enkelt (= något är lätt eller självklart, eller man vill betona något):
Jag tänker inte köpa bilen. Priset är helt enkelt för högt.
* helt och hållet (= allt/totalt):
Förlåt, det var helt och hållet mitt fel.
* det hela (= alltihop):
Först var det seminarier och sedan avslutades det hela med en trevlig middag.

Allt:

* allt som allt (= om man lägger ihop allt): *Festen kostade allt som allt 12 000 kronor.*
* allt möjligt (= många olika saker): *I helgen gjorde vi allt möjligt.*
* allt + komparativ ("mer och mer"): *Nu går det allt bättre med grammatiken.*

D Välj ord och fraser i rutan här ovanför och skriv dem där de passar in.

1   I lördags sprang Oscar Stockholm Marathon. Han hade förberett sig

noga. Under våren hade han sprungit _____ 60 mil. Ändå

var han _____ slut när han kom i mål. Nu säger han att han

ska springa nästa år också. När jag frågade om han skulle förbereda

sig på något annat sätt, svarade han att han _____ måste

träna lite mer.

2   På midsommarafton kommer vänner ut till oss på landet. Under

dagen ska vi göra _____, tävla, dansa runt midsommar-

stången etc. När kvällen kommer ska vi avsluta _____ med

en stor fest. Förra året hade vi nästan inga _____ glas kvar

efter festen, så i år ska vi bara ha plastglas.

3   Katja har länge spelat gitarr och sjungit. Nu håller hon på att lära sig

att spela piano och hon blir _____ bättre. Hennes dröm är

att kunna ägna sig _____ åt musiken.

Repetera

6 Emfatisk omskrivning

 Skriv om dialogen till emfatisk omskrivning. Orden med fet stil ska ha emfas.
Exempel:
Jag läser **den här boken** nu.

> *Det är den här boken jag läser nu.*

1 Vi gifte oss **här**.

2 **Min morfar** har bakat bullarna.

3 **Vem** har skrivit det här mejlet?

4 **Igår** hörde jag nyheten.

5 Har **du** målat den här tavlan?

6 **Vi** byggde huset.

7 Du skulle köpa **tomater**, inte paprika.

8 **Vad** har hänt?

7 Transitiva och intransitiva verb

 A Sortera verben i par. Vilka verb är transitiva och vilka är intransitiva?
Skriv en lista. Exempel:

> *Transitiva   Intransitiva*
> *bleker   bleknar*

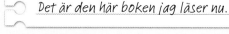

~~bleknar~~	fäster	brinner	~~bleker~~
kyler	spricker	släcker	slocknar
sjunker	sänker	kallnar	bränner
fäller	fastnar	faller	spräcker

 B Skriv egna exempel med verben i A.

17

1 Sammansatta adverb

> österut till Finland

Preposition	Om tid	Om rum
Många adverb är sammansatta av ett pronomen eller adverb och en preposition. Här är några vanliga grupper av sammansatta adverb:		
-efter	hädanefter	utefter
-ifrån		härifrån, därifrån, framifrån, bakifrån, uppifrån, nedifrån, inifrån, utifrån, västerifrån, hemifrån
-till/-tills	dittills, hittills	framtill, baktill, intill, upptill, nedtill
-ut		norrut, söderut
-åt	efteråt	hitåt/häråt, ditåt/däråt, framåt, bakåt, uppåt, nedåt, inåt, utåt, hemåt

Välj bland adverben i tabellen och skriv dem där de passar in. Ibland kan flera alternativ passa.

1 – Går hissen _____? – Nej, _____, vi ska till garaget.

2 – Vi är vid köpcentrumet. Gå _____ så möter vi dig på halva

vägen.

3 Alldeles _____ universitetet ligger en jättebra bokhandel.

4 Aziz pekade med handen och sa " Tunnelbanestationen ligger

_____." Turisterna tackade för svaret.

5 Busschauffören bad oss att gå _____ i bussen så att nya

passagerare skulle få plats.

6 Det går inte bra på börsen. Alla kurvor pekar _____.

7 Det här var min sista cigarett. _____ ska jag leva ett tobaksfritt liv.

8 Det är ingen idé att tänka för mycket på det som har varit. Vi måste tänka

   _____ .

9 Familjen Ek packade sina väskor och körde _____, till

   Lappland.

10 Idag är det tre dagar kvar på anmälningsperioden. _____ har mer

    än tusen personer anmält sig.

11 Klubben stängde klockan tre. _____ gick många på efterfester.

12 Man kunde höra skrik _____ toaletten. Någon var inlåst.

13 Många musikaliska influenser har kommit _____, från England

    och USA.

14 Nu har Noi valt vilka kläder hon ska ha på festen. _____ ska hon

    ha en snygg topp och _____ ett par nya läderbyxor.

15 Väsktjuven kom _____ så jag såg honom inte förrän det var för

    sent. Han tog min väska med 700 spänn i kontanter.

16 År 1961 flög den första människan i rymden. _____ hade bara

    djur varit ute i rymden.

17 Det går en promenadväg _____ älven.

18 När vi hade varit ute och åkt skidor hela dagen var vi trötta och åkte

    _____ . Efter cirka tre timmar var vi hemma och drack varm

    choklad.

2 Verb med direkt och indirekt objekt

> Han gav liv åt människorna. = Han gav människorna liv.

När ett verb har två objekt har det ofta en "mottagare" och en "sak". Mottagaren är det indirekta objektet (io) och saken är det direkta objektet (do). Saken flyttas mellan subjektet och io = "ägarbyte". Verben konstrueras med olika prepositioner (*åt, för, till, [i]från, på*) eller ibland utan preposition.

När verben konstrueras med *åt, för* eller *till* kan man ofta göra fraser på två sätt, med eller utan preposition och med olika ordföljd. Man kan inte alltid göra två varianter, och man måste lära för varje verb hur man bildar fraser med just det verbet:
Han gav boken till Pelle = Han gav Pelle boken.

När verbet inte har preposition är ordföljden io + do.

Här är några vanliga verb med indirekt och direkt objekt.

ägarbyte:	"transport":	produktion:	kommunikation:
betala (till)	skicka (till)	sy (till/åt)	säga (till)
ge (till/åt)	servera	bygga (till/åt)	meddela (till)
låna (till)			visa (för)
skänka (till/åt)			lära
sälja (till/åt)			förbjuda
			föreslå (för)
			förlåta
			rekommendera (till)
			lova
			neka
			önska

A Ändra ordföljden i meningarna, antingen från do + io → io + prep + do eller tvärtom. Titta i rutan på s. 173 vilken preposition som passar för de olika verben. Exempel:

Katinka har gett mig så många komplimanger.

> *Katinka har gett så många komplimanger till mig.*

1 Vera ger alltid dyra födelsedagspresenter till Xavier.

2 Yngve har lånat sin favoritbok till Zara.

3 Åke ville inte visa Örjan sitt missnöje.

4 Olga har gett rapporten till Patricia.

5 Anita skickade mig ett så otrevligt e-mejl.

6 Bonita visade sina tatueringar för Cecilia.

7 Davide ska låna Evert 1000 spänn.

8 Gunde har skänkt en gammal servis till sina barnbarn.

9 Fredrika brukar skicka nya kunder en liten present.

10 Hadar ska visa oss sin nya lägenhet.

11 Isabelle rekommenderade Johan den här boken.

B Skriv rätt preposition eller ingen preposition. Ibland kan flera alternativ vara rätt.

1 Gustav ska betala tillbaka hela skulden _____ Henrik.

2 Frida visade sina krukväxter _____ Ingrid.

3 Jutta föreslog en resa till Laos _____ Katarina.

4 Laurens sydde en kudde _____ sin dotter.

5 Martina förklarade _____ Nils varför hon ville skilja sig.

6 Orvar lovade _____ Petja att komma på mötet.

7 Rikard har visat sina tavlor _____ mig.

8 Stina serverade _____ Ture en wienerschnitzel.

9 Urban har föreslagit en ombyggnad _____ kommunen.

10 Viktoria önskade _____ Yngve en bra dag.

3 Ordkunskap

A Vad betyder de kursiverade orden? Kombinera fraserna.

1	När man *hugger* ved	a	och lägga saken i den.
2	När man *döper* ett barn	b	har man verkligen ingen mat hemma.
3	Om man *inte ens* har en brödbit hemma	c	har mycket makt och kan bestämma över andra.
4	Man kan ha en hund som *vaktar* lägenheten	d	Jag kunde verkligen inte tro att det var sant.
5	Om man vill gömma något kan man *gräva* en grop	e	om man är rädd för tjuvar.
6	Min *förvåning* var stor.	f	som är grottor i marken.
7	En del djur bor i *hålor*	g	är en person som inte är bjuden men som ändå kommer.
8	Den som är *mäktig*	h	är motsatsen till att gå in i något.
9	En sak som är *väldig* eller *enorm*	i	delar man trä i mindre delar med en yxa.
10	En *objuden* gäst	j	ger man det ett namn.
11	Att komma *ut ur* något	k	är mycket stor.

B Kombinera ord och förklaring.

1	*En borg*	a	är att ha en fest av en speciell orsak.
2	*En värd*	b	är den period i livet när man är gammal.
3	*Ålderdomen*	c	är att vara otrevlig och säga elaka saker till någon.
4	Att *försvara* något	d	är en person som bjuder på middag eller fest.
5	Att *avbryta* något	e	är att skydda det från fiender eller farliga saker.
6	Att *fira* något	f	är ett jättestort hus av sten som kan fungera som skydd i krig.
7	Att vara *oförskämd*	g	är att sluta med eller stoppa något.

4 Verb

Skriv verben inom parentes i rätt form.

Familjen Völsung var mycket rik och mäktig. De hade ett enormt hus,

byggt runt en ek, där de ofta hade fester. På en av festerna _____
                                                                1 (kommer)

en objuden gäst. Det var en äldre man med en stor svart hatt och grå kläder.

Han _____ fram till eken mitt i huset och _____
        2 (går)   3 (hugger)

in ett svärd i dess stam. Han _____ att den som kunde dra ut
                                    4 (säger)

svärdet _____ det. Alla män på festen _____
            5 (vinner)   6 (försöker)

men inte ens de starkaste av dem _____. Den objudne gästen
                                        7 (lyckas)

_____ utan att _____ vem han var, men många
    8 (försvinner)   9 (säger)

_____ att det var Oden, som var känd för att ibland vandra
    10 (tror)

runt bland människorna.

Den yngste sonen i familjen _____ Sigmund. Han ville
                                    11 (heter)

också försöka dra ut svärdet. Alla _____ eftersom de aldrig
                                        12 (skrattar)

_____ att en pojke skulle lyckas med något som alla de starka
    13 (kan tro)

männen hade misslyckats med. Till allas förvåning _____ han utan
                                                        14 (drar)

ansträngning ut svärdet. När han blev vuxen _____ han svärdet
                                                15 (använder)

i många strider ända tills den mystiske främlingen en dag _____
                                                                16 (dyker)

upp mitt i en strid och slog svärdet i tre delar. Sigmund _____
                                                                17 (förlorar)

striden och blev dödligt skadad. Innan han dog, _____ han sin
                                                        18 (ber)

hustru att bevara de tre delarna av svärdet.

5 Ordkunskap: *liten* och *stor*

Välj ord ur rutan och skriv dem i rätt form där de passar in. Flera alternativ kan vara rätt.

verb	adjektiv	prefix
ökar, minskar	liten, ung, vuxen,	pytte-
växer, krymper	äldre, gammal	jätte-
	rymlig, trång	
	väldig, enorm,	
	kolossal	
	riklig, knapp	
	hög, låg	
	lång, kort	

1 Dinosaurierna var enorma djur. De var _____-stora.

2 I år är färre personer arbetslösa än förra året. Arbetslösheten _____.

3 Lägenheten har plats för många personer. Den är _____.

4 När jag tvättade tröjan blev den mindre. Tröjan _____ i tvätten.

5 Räntan har gått upp. Den är _____ nu.

6 Små barn blir större snabbt. Små barn _____ snabbt.

7 Vetenskapsmännen har hittat världens minsta djur. Det är _____-litet.

8 Vi fick jättemycket mat på middagen. Middagen var _____.

9 En del har inte så mycket pengar. En del har det _____ om pengar.

10 Vi sitter många personer i samma rum på jobbet. Det är _____.

6 Partikelverb

Verbpartiklar har ibland en egen betydelse. Kombinera exempelmeningarna med rätt förklaring av partikelns betydelse.

1 bort _____
Emma är så generös. Hon ger bort mycket av sin lön till ideella organisationer.
Kan du ta bort dina fötter från bordet? Jag ser inte texten på teven!

2 ihop _____
Ofta när man köper möbler, får man ett paket med delar. Man får sätta ihop möbeln själv.
Jag och min fru blev ihop på en semesterresa till Mallorca. Vi träffades på planet och blev kära direkt.

3 fast _____
En gång träffade jag en arg hund. Den bet sig fast i mitt ben och ville inte släppa.
Therese hade bundit fast sin hund utanför snabbköpet, men när hon kom ut var han borta.

4 fram _____
När jag kom in på festen gick jag fram till värden och hälsade.
När snön smälter kommer ofta mycket skräp fram.

5 förbi _____
Vi var på en underbar vandring i Grekland. Vi vandrade förbi många kyrkor och kloster.
På vägen till jobbet går jag förbi både Stadshuset och Centralstationen.

6 ikapp _____
När jag var liten brukade jag äta ikapp med min bror. Vi brukade se vem som kunde äta flest pannkakor. Vi brukade springa ikapp också, alltså se vem som sprang snabbast.

a Partikeln betyder ofta att något blir fixerat och inte går att ta bort så lätt.

b Partikeln betyder att något blir synligt eller att man går eller åker till en speciell punkt.

c Partikeln betyder ofta att något försvinner eller att man flyttar det så att man inte kan se det längre.

d Partikeln betyder ofta att något passerar något.

e Partikeln betyder ofta att saker eller personer "kommer tillsammans".

f Partikeln handlar ofta om att tävla och göra något lika snabbt som, eller snabbare än, någon annan.

Repetera

7 Adjektiv och particip som substantiv

Skriv orden inom parentes i rätt form.
Tips: Fundera först på om det är presens particip eller perfekt particip du ska bilda av verben. Om det är ett adjektiv i parentesen ska du böja det i rätt form.

1 De _____ (anställer) var missnöjda med chefen.

2 _____ (letar) efter de _____ (överlever) gav inget resultat och efter några dagar gav man upp.

3 Eugène tittade på skisserna han hade gjort. De _____ (lyckas) sparade han och de _____ (misslyckas) kastade han.

4 I år är det fler _____ (söka arbete) än förra året.

5 Min kollegas ständiga _____ (hostar) gör mig galen.

6 Många _____ (studerar) har problem att få pengarna att räcka.

7 På begravningen sjöng de _____ (sörjer) psalmer som den _____ (död) hade tyckt om.

8 Demonstrativa pronomen

Skriv orden inom parentes i rätt form.

1 Jag vill prata med dig om detta _____ (stor, problem).

2 Vem är det som har hittat på dessa _____ (klurig, korsord)?

3 Smaka på de här _____ (riven, morot)!

4 Jag behöver läsa de här _____ (ny, meddelande).

5 Jag ska köpa det här _____ (nyrenoverad, hus).

6 Kan du läsa den här _____ (omskriven, text)?

7 Denna _____ (högklackad, sko) är tyvärr trasig.

8 Vad ska vi göra med alla dessa _____ (gammal, bok)?

9 Vet du vad de här _____ (liten, blomma) heter?

9 Tempus: presens perfekt eller preteritum perfekt utan *har* eller *hade*

I vilka av nedanstående meningar kan man stryka *har* eller *hade*?

1 Anna har aldrig längtat hem trots att hon har bott utomlands många år.

2 Jag berättade för Carl att jag aldrig har förstått hur man löser sudoku.

3 Lasse hade gått ut när telefonen ringde.

4 Magdalena säger att hon har sett *Borta med vinden* fem gånger.

5 Vem har skrivit den här boken?

10 Subjunktioner

A Välj subjunktioner ur rutan och skriv dem där de passar in.

> genom att   för att   utan att

1 Jag träffade en massa trevliga människor på semestern, men vi sa hej då

   _____ ta varandras telefonnummer. Det var synd.

2 På vikingatiden använde man runor _____ skriva.

3 I slutet av kursen har vi ett prov _____ se vad vi behöver repetera.

4 Man stoppade nedhuggningen av almarna _____ klättra upp

   i dem.

5 Vi hade en ny person i gruppen igår, men han försvann efter rasten

   _____ säga vad han hette. Kanske hade han kommit till fel

   grupp.

6 Oden kunde förstöra vapen bara _____ titta på dem.

7 Förr i tiden offrade man vid träd _____ få bättre skörd.

8 Man kan göra anteckningar _____ lättare kunna återberätta

   något.

B Komplettera fraserna. Skriv en variant för varje subjunktion.

1 Jag lärde mig svenska genom att/för att/ …

2 Jag reste till Sverige utan att …

3 Jag skyndade mig för att …

4 Jag hoppade på tåget utan att …

5 Jag flyttade hemifrån när jag var 18 år för att/utan att …

6 Jag gick in i lägenheten utan att/för att …

11 Verb: tempusharmoni

A Här är två texter med referenspunkt NU. Välj verb ur rutorna och skriv
dem i rätt tempus där de passar in.

frysa göra hålla på klättra

1 Ulf och Johan _____ upp på ett högt berg i Afrika.
   ₁

De är jättetrötta för de _____ nästan sju timmar. Det
   ₂

är kväll och det är kallt på bergets topp så de _____ .
   ₃

De vill inte gärna sova på berget men de vill inte heller klättra

ner mitt i natten. Varför har de inte tänkt på att ta med sovsäckar,

kläder och mat? De undrar vad de _____ .
   ₄

läsa sjunga sova

2 Barbro läser godnattsaga för sitt barnbarn Miriam. Hon är trött i

ögonen för hon _____ många böcker för Miriam.
   ₁

Hon säger att Miriam _____ . Men Miriam vill inte.
   ₂

Hon vill att mormor ska läsa en bok till. Mormor säger att hon

ska läsa en bok till om Miriam lovar att sova sedan. Men hon

säger att hon _____ om trollmor först.
   ₃

 B Skriv om texterna i övning A i med referenspunkt DÅ. Exempel:

Ulf och Johan hade klättrat …

18

1 Instruktioner och uppmaningar

Imperativfraser (med verb i imperativ och utan subjekt) används bara i vissa situationer:

*Tydliga instruktioner, ofta om något vardagligt som lyssnaren redan känner till och som inte är till besvär för lyssnaren:
Kom och ät nu! Kom hit! Ta mer mat!

*Varningar
Akta dig! Se upp!

* När någon bett om råd
Köp den röda väskan! Ring henne direkt! Vänta inte med att köpa huset!

* Abrupta och ovänliga instruktioner
Sluta genast! Ge mig den! Gå härifrån! Lämna mig ifred!

Man kan mildra en imperativfras med en så-fras: Ge mig den, så får jag titta på den. Obs! Svenska har inget ord eller fras för att göra en fras vänlig. Fraserna:
… så är du snäll/Var snäll och … används ofta från någon i högre ställning till någon i lägre ställning för att ge en tydlig instruktion som är svår att ifrågasätta:
Torka bordet så är du snäll. Var snäll och stäng dörren.

Man undviker ofta imperativfraser. Istället använder man olika omskrivningar som i rutan nedan.

Fraser som kan användas som instruktioner och uppmaningar		
Ordföljd påstående	**Ordföljd fråga**	**Omskrivning med *det***
Å, du stänger fönstret?	Stänger du fönstret?	Det skulle vara bra om
Du kunde kanske stänga fönstret?	Kan du stänga fönstret?	du stängde/kunde stänga fönstret.
Du kan väl stänga fönstret?	Skulle du kunna stänga fönstret?	Skulle det vara möjligt
Du skulle (väl) inte kunna stänga fönstret?	Skulle du vilja stänga fönstret?	att stänga fönstret?
Du skulle (väl) inte vilja stänga fönstret?	Vill du (inte) stänga fönstret?	
Du kan möjligen inte stänga fönstret?	Skulle du (inte) vilja stänga fönstret?	
Du stänger fönstret, va?	Har du lust att stänga fönstret?	

Skriv om följande imperativfraser enligt exemplen i rutan på s. 182.
Skriv tre olika varianter för varje fras.

1 Skicka det här mejlet!

2 Vänta på mig!

3 Plocka upp bananskalet!

4 Flytta på dig lite!

5 Gör klart vårbudgeten!

6 Räck mig saltet!

2 Satsförkortningar

> I min fantasi såg jag honom vandra
> omkring alldeles ensam och hjälplös.

Efter verben *se, höra, be* och *känna* använder man ofta en satsförkortning (objekt + infinitiv).

Fullständig sats:
I min fantasi såg jag att han vandrade omkring alldeles ensam och hjälplös.

Satsförkortning:
I min fantasi såg jag honom vandra omkring alldeles ensam och hjälplös.

Subjektet i bisatsen (…*såg jag att* <u>*han*</u> *vandrade* …) blir objekt (… *såg jag* <u>*honom*</u> *vandra* …) i satsförkortningen.

Om ett possessivt pronomen är subjekt i bisats (*hans/hennes/deras*), blir det reflexivt possessivt i satsförkortningen (*sin/sitt/sina*):
Han såg att hans kollega vandrade. → *Han såg sin kollega vandra.*

 Skriv om meningarna här nedanför. Använd satsförkortningar.

1 Anders hörde att hon grät.

2 Vi såg att de sprang till bussen.

3 Lotta såg att hennes son rökte.

4 Jag bad att han skulle hjälpa mig.

5 Vi kände att vinden blåste i håret.

6 Olof bad att hon skulle sluta.

7 Sandra hörde att bilen startade.

8 Läraren såg att de fuskade.

9 Klas hörde att hon kom hem.

10 Elin kände att en myra kröp uppför armen.

3 Uttrycka kontrast

De hade picknick i går, trots det dåliga vädret.
/ Trots det dåliga vädret hade de picknick.
De hade picknick i går trots att det var dåligt väder.
/ Trots att det var dåligt väder hade de picknick.

Man kan uttrycka kontrast på olika sätt, till exempel genom att använda:
trots = preposition
(+ substantiv)
trots att/fastän = subjunktion
(+ bisats)

Det regnade igår men trots det hade de picknick.

Trots det/detta: *det/detta* syftar på en hel fras.

Skriv om meningarna här nedanför på två olika sätt med *trots* (= preposition).
Tänk på att du ibland måste ändra orden lite, från verb till substantiv. Exempel:

Trots att de förlorade var de glada.

> *Trots förlusten var de glada.*

Eller:

> *De förlorade. Trots det var de glada.*

1 De tog en promenad trots att det regnade.

2 Trots att hon hade huvudvärk gick hon till jobbet.

3 Rickard klarade inte provet trots att han fuskade.

4 Trots att Alice hade yrsel tog hon bilen hem.

4 Uttrycka orsak och förklaring

Lars stannar hemma idag därför att/eftersom han känner sig dålig.
Lars känner sig dålig. Därför stannar han hemma idag.

Man kan uttrycka orsak och förklaring bland annat genom att använda:
därför att/eftersom = subjunktion
därför = adverb

A Skriv om meningarna här nedanför med *därför* (= adverb). Exempel:

Hannah har träningsvärk eftersom hon har sprungit långt.

> *Hannah har sprungit långt. Därför har hon träningsvärk.*

1 Stefan ska skaffa glasögon därför att han börjar se dåligt.

2 Vi måste skynda oss eftersom bussen går snart.

3 Jag måste stanna hemma ikväll därför att mina pengar är slut.

4 Vi fick ta taxi eftersom bilen inte startade.

B Skriv om meningarna här nedanför med *därför att* eller *eftersom* (= subjunktion).

1 Lukas var enormt hungrig. Därför åt han en jättepizza.

2 Jag har inga pengar på mobilen. Därför kan jag inte ringa dig.

3 Stolen är nymålad. Därför kan du inte sätta dig på den.

4 Hon kan inte simma. Därför vill hon inte gå nära vattnet.

5 Idiomatiska uttryck

A Kombinera uttryck och förklaring.

1	som klippt och skuren	a	lite olika saker, lite av varje
2	ditt och datt	b	inte spela någon roll, vara oviktigt
3	kors och tvärs	c	totalt, 100 %
4	hugget som stucket	d	i olika riktningar
5	i ur och skur	e	lugnt, som det ska vara
6	frid och fröjd	f	i alla väder, när som helst
7	helt och hållet	g	svårt att bestämma sig
8	i valet och kvalet	h	passa precis

B Välj uttryck från övning A och skriv dem där de passar in.

1 Jag är _____ om jag ska ta jobbet eller inte.

Å ena sidan är det väldigt bra betalt, men å andra sidan måste jag jobba

nästan dubbelt så mycket som nu.

2 I går träffade jag en gammal skolkompis. Vi gick och fikade och satt och

pratade om _____. Det var jättetrevligt!

3 – Ska vi ta bussen eller tåget?

– Det tar ungefär lika lång tid, så det är _____.

4 Agneta är verkligen käck. Hon cyklar till

jobbet _____.

5 Efter en kort överläggning var rekryterarna överens om att Lars var

_____ för jobbet. Bättre kandidat fanns inte.

6 Det har varit lite oroligt på arbetsplatsen en tid, men nu är allt

_____ igen.

7 Oscar har tagit tjänstledigt en månad och reser _____ i Europa. Senast vi hörde ifrån honom var han i Makedonien.

8 Jack har blivit laktosintolerant, så nu måste han avstå från mejeriprodukter _____ .

6 Partikelverb

Välj partikelverb ur rutan och skriv dem på rätt plats i rätt form.

göra bort sig	vila upp sig	orka med	dela med sig
skriva om	ta med sig	slå sig ner	hoppa av

1 Jag _____ jättemycket i fredags. Jag trodde att vår chef
   1
hade gått hem, så jag skulle skoja lite. Jag _____ i
   2
hennes stol och la upp fötterna på skrivbordet och låtsades prata i hennes

telefon. Alla skrattade utom min chef som hade sett allting. Hon hade bara varit

och hämtat kaffe! Jag vet inte om jag kommer att _____
   3
alla kommentarer från kollegerna på måndag.

2 Peter är med i ett utvecklingsprojekt på jobbet, men han börjar tröttna och

funderar på att _____ . Han _____
   1   2
en lista på idéer till varje möte. De andra brukar däremot aldrig

_____ av sina idéer, utan behåller dem för sig själva.
   3
Dessutom har Peter varit tvungen att _____ olika
   4
dokument eftersom de var så dåligt skrivna. Under helgen ska Peter åka till ett

spa och _____ . Sedan får han se hur han ska göra med
   5
projektet.

7 Fraser

A Kombinera verb och ord/fraser.

1	fatta	a	känna varandra
2	hålla	b	ett gott intryck
3	fylla	c	tillit
4	avskaffa	d	en relation
5	skapa	e	en funktion
6	ha	f	ett beslut
7	göra	g	idéer med varandra
8	vara	h	en låg profil
9	utbyta	i	titlar
10	lära	j	betydelse
11	känna	k	överens om något

 B Skriv egna exempel med fraserna här ovanför.

8 Repetera grammatiken

Markera alla korrekta alternativ (1–3 stycken).

Kapitel 1

1 a Agneta läser otroligt snabbt.

   b Agneta läser otrolig snabb.

   c Agneta läser otrolig snabba.

2 a Basar verkar trevlig.

   b Basar och Öznur verkar trevligt.

   c Basar och Öznur verkar trevliga.

3 a Glassen är god.

   b Glass är goda.

   c Glass är gott.

4 a Duna ringer ofta till sin mamma, ibland en gång om dagen och ibland en gång om veckan.

   b Duna ringer ofta till sin mamma, ibland en gång om dagen och ibland en gång i veckan.

   c Duna reser till London ibland, en gång i månaden eller tre gånger om året.

Kapitel 2

5 a Jag tvättar sig i ansiktet.

b De tvättar sig i ansiktet

c Vi tvättar oss i ansiktet.

6 a Om du kommer inte på festen, blir jag besviken.

b Om du inte kommer på festen, jag blir besviken.

c Om du inte kommer på festen, blir jag besviken.

Kapitel 3

7 a Du får antingen glass eller godis. Du måste välja.

b Du får inte både glass och godis. Du måste välja.

c Du får varken glass eller godis. Du får vänta till lördag.

8 a Ju det är kallare desto mer kläder man behöver.

b Ju kallare det är desto mer kläder behöver man.

c Ju kallare det är desto mer man behöver kläder.

9 a Det var en rolig dag.

b Det var en roliga dag.

c Det var rolig dagar.

d Det var den där roliga dagen.

e Det var dessa roliga dagar.

f Det var min roliga dagen.

Kapitel 4

10 a Du måste ta på dig mössa och vantar. Det är nämligen kallt ute.

b Du borde inte äta så mycket skräpmat. Det är dock onyttigt.

c Skräpmat är onyttigt. Därför bör du inte äta så mycket sådant.

Kapitel 5

11 a Jag ska gå hem på Eva ikväll.

b Jag ska gå på teater ikväll.

c Jag ska äta hemma hos Eva ikväll.

12 a Gurli ska åka till fjällen för att vandra.

b Hassan tänker gå ner i vikt genom att träna mer.

c Inka var på jobbet igår även om hon är jätteförkyld.

13 a Jag vill veta ifall du kommer.

b Vet du vad hände igår?

c Vet du vad som kommer att hända imorgon?

d Vet du när går bussen?

14 a Janis studerar kinesiska vilken kommer att vara bra för hans karriär.

b Janis studerar på universitetet något som hans föräldrar är glada för.

c Janis studerar på universitetet vilket är ganska tufft.

Kapitel 6

15 a Vad du skulle göra om du inte hade något vatten?

   b Vad skulle du göra om du inte hade något vatten?

   c Vad skulle du göra om du inte har något vatten?

16 a Om det ska gå dåligt, tänker jag starta ett annat parti.

   b Om det går dåligt, kommer jag att starta ett annat parti.

   c Hjälp! Båten ska sjunka, om det kommer in för mycket vatten.

   d Hjälp! Båten kommer att sjunka.

Kapitel 7

17 a Siv har en vän som son är professionell fotbollsspelare.

   b Siv har en vän vars son är professionell fotbollsspelare.

   c Siv har ett landställe dit hon åker varje helg.

   d Siv har ett landställe vilket hon åker varje helg.

18 a Ture värmer upp den färdiglagade maten.

   b Ture värmer upp en färdiglagade mat.

   c Ture värmer upp färdiglagade köttbullar.

   d Ture värmer upp stekt köttbullar.

Kapitel 8

19 a Jag var 28 år och hade bott i Umeå i 5 år.

   b Jag var 28 år och skulle flytta till Stockholm.

   c Jag är 28 år och har bott i Umeå i 5 år.

   d Jag är 28 år och hade flyttat till Stockholm.

20 a Gloria reser till Wien vartannat vecka.

   b Gloria gör en långresa varje tre år.

   c Gloria går till frisören varje månad.

Kapitel 9

21 a Jag tycker att Pelle har feber.

   b Jag tror att Pelle har försovit sig.

   c Jag tänker på Pelle och undrar vad han gör.

22 a Vi har köpt en hund. Pälsen är vit.

   b Vi har köpt ett nytt hus. Trädgård är stor.

   c Vi såg en film igår. Skådespelarna var jättebra.

Kapitel 10

23 a Xerxes blir älskas av många.

   b Xerxes älskas av många.

   c Xerxes är älskad av många.

24 a Amanda är en svensk.

b Amanda är ett geni.

c Amanda är en flitig student.

Kapitel 11

25 a Belinda vet att sin flickvän är otrogen.

b Belinda är arg på sin flickvän. Hennes flickvän har nämligen varit otrogen.

c Belinda och sin flickvän ska gå i parterapi.

26 a Quincy har varit opererad förra veckan.

b Quincy har varit sjukskriven förra veckan.

c Quincy blev sjukskriven för en vecka sedan.

27 a Om jag hade varit kung jag skulle ordna en stor fest.

b Om jag hade varit kung ordnar jag en stor fest.

c Om jag hade varit kung skulle jag ha ordnat en stor fest.

Kapitel 12

28 a Ruslana är inte säker men hon kommer ju på festen.

b Jag tror att Ruslana kommer på festen. Hon älskar ju fester.

c Ruslana kommer väl på festen?

29 a När jag hade ätit färdigt ska jag se på teve.

b När jag kommer att äta färdigt ska jag se på teve.

c När jag har ätit färdigt ska jag se på teve.

Kapitel 13

30 a Nobelpristagaren var glad som ett barn när hon tog emot priset.

b På Nobelfesten har många en frack eller en långklänning på sig.

c Som en Nobelpristagare brukar man hålla tacktal.

Kapitel 14

31 a Var det du inte som åt upp min bulle?

b Var det inte du som åt upp min bulle?

c Var det inte du åt upp min bulle?

32 a Song brinner gamla kvistar i trädgården.

b Song bränner gamla kvistar i trädgården.

Kapitel 15

33 a Det var många sökanden till jobbet.

b Det är många arbetslös i Sverige just nu.

c En arbetslös kan ibland få pengar från a-kassan.

34 a Telefonen ringde när Ture
    gått ut.

   b Ture inte hört telefonen.

   c Ture vet inte vem som ringt.

Kapitel 16

35 a Jag har städat jättenoga så nu lig-
    ger alla skor i hallen.

   b Efter krocken låg båda bilarna i
    diket.

   c Ställ tårtan i kylskåpet.

36 a Alicia älskar honom inte, men
    hon tycker mycket om honom.

   b Alicia älskar honom inte, utan
    hans bror.

   c Alicia älskar inte honom, utan
    hans bror.

37 a Eva är så kär i Franka. Hon är
    galen på henne.

   b Eva är så kär i Franka. Hon är
    galen i henne.

   c Eva är så kär i Franka. Hon är
    galen för henne.

38 a Lisa är arg med sin syster.

   b Lisa är arg på sin syster.

   c Lisa är arg av sin syster.

Kapitel 17

39 a Kan du förklara det här till mig?

   b Kan du visa för mig vad du har
    i handen?

   c Kan du visa mig vad du har
    i handen?

Kapitel 18

40 a Andres hörde att sin mamma
    komma upp för trappan.

   b Andres hörde sin mamma
    komma upp för trappan.

   c Andres hörde att sin mamma
    kom upp för trappan.

41 a Jag mår lite illa. Därför går jag
    hem nu.

   b Jag mår lite illa därför att jag går
    hem nu.

   c Jag mår lite illa. Därför jag går
    hem nu.